医食同源

家森幸男

長寿の秘密

冒険病理学者が探る世界の長寿食

京都大学大学院教授（人間・環境学研究科）
家森幸男

法研

『長寿の秘密』に寄せて

長寿達成への航路図ができた

ノンフィクション作家　柳田邦男

家森先生の講演を一度聞くと、そのスピーディで、愉快で、わかりやすい語り口にのみこまれ、たちまち〝家森教〟の信者になってしまう。家森先生には、そういう教祖的なカリスマ性があるのです。カリスマ性といっても、威圧的だったり暗かったりはしないで、とても明るく開放的なのです。

循環器病の予防となると、いまや世界広しといえど、家森先生の業績を差し措《お》いては、核心の議論ができないといってよいほどです。しかし、家森先生には、たんに研究者として第一人者というのではない何かがある。その何かとは、家森先生の話を聞き、あるいは文章を読む者をして、魅了し、うなずかせ、大賛同させられてしまう、強烈な吸引力とでもいいましょうか。

いったい、そういうカリスマ性というものは、どこから生じてくるものなのでしょうか。家森先生の医学研究者としての人生経歴を見たり、著書を読んだりしてきたことから推測しますと、全身で体当たりしていくような研究への情熱と、フィールドワークによる実証のための探検家さながらの行動の積み重ねとが、先生の人格そのものになっていて、その人格全体が先生に触れた人を惹《ひ》きつけてやまないのだと、私には思えるのです。

この本は、そういう家森先生が三十年以上にわたって脈々と取り組んできた研究と調査の成果を集大成した報告なのですが、けっして難しい学術書ではありません。地球上に棲《す》む様々な民族の、食生活やライフスタイルと健康・長寿との関係に関するルポルタージュとして、あるいは先生一流のユーモアをまじえた紀行文として、あるいは生々しい調査報告として、さらには長寿のためのガイドブックとして、多様な読み方のできる本なのです。

ここに到達するまでの家森先生の足跡をたどってみましょう。

家森先生が京都大学医学部をでたのは、一九六二年。基礎的な研究の好きだった先生は、大学院に進んで、実験病理学を専攻し、高血圧症のメカニズムを動物実験で解明するために、まず高血圧ラットの家系をつくることに取り組みました。

そのころの日本の大学の研究予算はまだまだ貧しく、医学研究のための実験動物施設はバラック同然の粗末なものでした。冷暖房機などありませんから、夏は焼けるように暑く、冬は凍えるほど冷える。そういう条件の下で、ネズミが死なないように世話をするのですから、たいへんでした。

おまけに、先輩や同僚からは、「高血圧の研究なんかやったって、学位論文にはならないから、やめたほうがいいよ」といわれる。高血圧は、その人の体質みたいなものだから、ネズミの実験くらいでは、大したデータは得られないよ、というわけです。

しかし、家森氏はあせらなかったし、やめようとも思わなかったのです。一九六九年に一〇〇パーセント高血圧になる純系のラットを、七四年には一〇〇パーセント脳卒中《のうそっちゅう》になるラットをつくることに、いずれも世界ではじめて成功したのです。これによって、脳卒中を促進したり予防したりする各種の要因を一つ一つ科学的に確かめることのできる実験動物を手にしたのです。

そして、一九七〇年代に、家森先生は、食塩が高血圧や脳卒中を起こすいちばんの悪玉であること、これに対し、たん白質やコレステロールは高血圧に対して必ずしも悪玉ではないという、従来の悪玉一本槍の定説をくつがえす事実を発見しました。また、脳卒中の家系のラットでも、魚や大豆の高たん白食を与えると、血圧の上昇や脳卒中をかなり抑えることができるとか、野菜や果物の繊維はナトリウムを吸収して排便させるはたらきをし、カリウム、カルシウム、マグネシウムはナトリウムを尿のほうへ追い出す作用をするので、これまた血圧を抑え脳卒中を起こりにくくするといった、長寿のノウハウにつながる事実を、つぎつぎに科学的に明らかにしていったのです。

そうなると、同じことが人間についていえるかどうかを実証しなければなりません。

家森先生は、世界各地の長寿地域と短命地域を探訪して、食生活と血圧・循環器病・平均寿命との関係を実態調査によって明らかにするという壮大な研究計画を立てました。その世界健康調査は、WHO（世界保健機関）の事業として一九八〇年代半ばにスタート。それ以来現在までの十年間に、家森先生が出かけた地域は、実に二五か国、五七か所に達しました。辺ぴな地域が多く、文化や価値観が違うため、調査班の身の安全が危うくなったこともしばしばあったということです。

調査の成果は絶大でした。ネズミによる実験でわかったことが、そのまま人間にもあてはまることが実証できただけでなく、具体的な食生活のあり方に関するデータが、豊富に得られたのです。そして、その成果から、「長寿のための条件」が浮き彫りにされ、長寿のための世界共通の「食事目標」が編み出されたのです。

家森先生の三十年余におよぶ足跡をたどると、基礎をしっかりと固め、執念と情熱をたゆむことなく注ぎつづけた研究がもたらすものの大きさを、実感させられます。その全容をドラマチックに記録した本書は、真に健康な長寿を達成する道を示す航路図として、またプロモーター（推進役）として、大きく貢献するでしょう。

目次

『長寿の秘密』に寄せて　長寿達成への航路図ができた　柳田邦男　2

プロローグ　「冒険病理学」で探る長寿の秘密　12

いつの間にか「冒険病理学者」と呼ばれるようになった私　12
ボケで亡くなった人の半数は脳血管性痴呆だった　14
脳卒中ラットを作るのにかかった一〇年以上の歳月　16
遺伝的に一〇〇%脳卒中を起こすラットも天寿をまっとうできる　18
尿を採り続けた日数はギネス級　21
世界のどこへ行っても同じ方法、同じ基準で調査をするために　23
調査地域地図　24

第一章　世界の長寿地域を訪ねて　25

コーカサスの長寿村の幸福な生活　26

三年間のたらい回しの末、やっとグルジアへ　26
大勢の一〇〇歳老人に歓迎される　27
果物の皮や種をまるごと食べるグルジアの人々　28

いつまでも腐らないグルジアのヨーグルトの秘密 31
大昔の注射器が現役で使われているグルジアの医療事情 32
脂肪を上手に落とすグルジアの肉料理 33
食事は最長老の乾杯から始まる 36
帰国直前に、法外なサンプル持ち出し料金を請求される 38
三〇年来の高血圧だが、元気なのはなぜ？ 41
コーカサスの長寿の秘訣 43
誇り高きマサイ族の健康診断 44
「アフリカに高血圧の人がいない」というのは本当か？ 44
エイズと眠り病とマラリアの恐怖 46
野生動物の肉をほとんど食べないアフリカの人々 48
武者修行をしているマサイ族の青年との出会い 50
最高額の生命保険をかけ、決死の思いでマサイ族の村に乗り込む 53
村長の一声で村民全員の検診をすることに 55
牛の糞でできた家と蠅の扇風機 56
一日中砂漠や草原を駆けめぐる人々の一日一回の食事 60
マサイ族の人々がひょうたんで作るヨーグルトの力 61
マサイ族は塩を摂る食文化の防波堤 64
牛の糞が混ざった泥を薬として使うマサイ族の知恵 65
塩分に弱い身体をもっているアフリカの人々 67
マサイ族の元気の秘訣 70

アンデス山中の長寿村ビルカバンバ 71
南米ではあらゆる人種と出会える 71
地球の裏側で同じチーズを食べている不思議 74
モルモットをフライにして丸ごと食べる 76
検診の結果、八〇人のうち高血圧の人はたったの二人 78
西欧化された暮らしをしている人に高血圧が多い 80
その土地の食べ物や調理法を大切にすることが長寿の秘訣 82
ビルカバンバの長寿の秘訣 84
歴史に裏打ちされた中国の食の秘密(広州、貴陽、客家) 85
「食は広州にあり」とまでうたわれた食材の宝庫 85
自然の恵みを十分に生かした農村の食生活 88
四年後、素朴な村の雰囲気は一変していた! 91
豆腐、納豆など日本の大豆料理のルーツは貴陽にある 93
がんの転移を防ぐ大豆の秘密 95
孫文、鄧小平、李登輝は客家の出身 97
いくつもの家族が一緒になって住む大きな住宅 99
なぜ、客家の数の数え方は日本とそっくりなのか? 100
塩分の多い食事の害を乾燥野菜で打ち消す工夫 102
なぜか、沖縄の食事と共通している客家の食事 103
中国の長寿の秘訣 105
シルクロードの砂漠に生きる伝統の知恵 106

外国人が自由に立ち入ることのできない未開放地域に行く 106
何をするにもお金！ お金！ 107
遊牧民、カザフ族の住居パオにおじゃまする 109
突然出された「検診中止！ 即時退去せよ」の命令 113
オアシスの水は健康にいいミネラル・ウォーター 115
にんじんをたくさん入れた赤い色のご飯、ボロー 117
調査団、コレラ騒ぎに巻き込まれる 118
男性一二〇歳、女性一一〇歳の夫婦に会う 120
イスラム教徒の規則正しい宗教的生活と長寿の関係 122
「００７」ばりのサンプル奪還作戦 123
遊牧民とオアシス住民の生活を比べる 126
シルクロードの長寿の秘訣 127

地中海の健康食とフレンチ・パラドックス

地中海の健康食とフレンチ・パラドックス 129
マフィアの本拠地、シシリー島でギャングに襲われる 129
地中海食に使われる材料は、日本食にそっくり！ 132
大航海時代がもたらした強い塩味 133
フランスに心筋梗塞が少ない「フレンチ・パラドックス」の謎を解く 136
「赤ワインは百薬の長」の秘密を探る 138
ミネラル・ウォーターを飲めば長生きできる？ 141
インテリジェンス＝生活の知恵が長寿への鍵 143
地中海・フランスの長寿の秘訣 146

第二章　短命地域の謎を探る

塩茶、バター茶が寿命を縮めるチベット 148
仏教の聖地、チベットは短命の地 148
急死した人は「心がけがよかった」と祝福されるが…… 150
遺体を鳥に食べてもらう鳥葬を見学 153
鳥葬を見学中に、突然石を投げつけられる 155
先祖の魂が宿っている魚は、食べられない 157
チベット暴動と夢のチョチョス豆輸入計画 159
チベットの短命の原因 161
魚を食べないネパールの人々 162
カトマンズ空港のずるがしこいポーターたち 162
ガンジス川のほとりにあったホスピスの原型 164
お風呂に入らないのは厳しい自然と共存していくための知恵 167
ネパールの食生活は高血圧を作る 168
学問の力でネパールの人たちを健康にしたい 170
ネパールの短命の原因 173
フィンランド、ブルガリア、カナダの悲劇 174
フィンランドの今までの常識を覆す調査結果 174
植物性の油ばかり摂るのは危険!? 176

急激な社会変化が寿命を縮めたブルガリア　178
カナダの最も身体によくない魚の調理法　181
フィンランド、ブルガリア、カナダの短命の原因　183
ブラジル人の肉食と日系移民の食事　184
ブラジルの粋なカウボーイ、ガウチョ　184
大きな肉のかたまりをまるごと焼く、ブラジルの焼き肉　187
同じ国内でも地域によって食べているものが違うブラジル　189
日系移民の食卓拝見　191
ブラジル化された日系人の食事は血圧を上げる　192
ハワイの日系移民と比べてみる　196
ブラジルの短命の原因　198

第三章　日本の長寿地域を訪ねて

199
沖縄、隠岐諸島、四国山中に生きる長寿の知恵　200
日本一の長寿県、沖縄で長寿の秘訣を探る　200
昆布が採れないはずの沖縄が、消費量日本一の不思議　202
日本人全体の平均より五グラムも少ない塩の摂取量　203
隠岐諸島と四国山中に長寿地域があった　205
コレステロール値が高いのに長寿を達成している沖縄と隠岐　207
日本の長寿の秘訣　209

第四章　日本人のための長寿食を求めて

日本食を長寿食に変えるために 212
米を粒のまま食べることが長寿の秘訣 212
ご飯に魚という伝統的な日本食がいい 213
日本食の最大の欠点は、塩を多く摂ること 214
脂肪の摂りすぎが気になる最近の日本人の食事 216
日本人は外国人よりも糖尿病になりやすい 218
減塩の方法教えます 220
長寿のための野菜、果物、肉のよりよい食べ方 223
伝統の味、京料理に長寿食のヒントが 224
世界の食文化を取り入れ、「長寿」達成へ 227

エピローグ　長寿を達成するための一〇の条件とモナリザ計画

230
調査からわかった長寿を達成するための一〇の条件 230
次なるプロジェクト「モナリザ計画」へ 236

装丁／加藤康昭（ミルリーフ）
カバーイラスト／桑原伸之
地図作成／ユニオンプラン
編集協力／青野尚子・渡辺裕之

プロローグ

「冒険病理学」で探る長寿の秘密

いつの間にか「冒険病理学者」と呼ばれるようになった私

「健康で長生きしたい」。これは全世界の人々が、国家や種族を超えて抱く共通の願望ではないでしょうか。もちろんこれは、ただの夢物語ではありません。実際に世界にはこの望みどおり、健康で長生きをしている人がたくさんいるのです。

世界的に長寿で有名な旧ソ連南部のコーカサス地方には、元気に働いている一〇〇歳以上のお年寄りがたくさんいますし、また、南米エクアドルのビルカバンバや中央アジアのシルクロードにも、長生きして人生を楽しんでいる人が多く住んでいます。

どうしてこれらの地域の人々が健康で長生きできるのでしょうか?

その理由を探るべく、私たちはＷＨＯ（世界保健機関）の協力を得て一九八五年から一〇年に渡り、世界各地で調査・研究をしてきました。この調査・研究のプロジェクトがWHO

CARDIAC STUDY（Cardiovascular Diseases and Alimentary Comparison Study＝循《じゅん》環器《かんき》疾患《しっかん》と栄養国際共同研究）です（調査地域は二四頁参照）。

しかし、一口に調査といっても、そう簡単に行えるものではありませんでした。調査に行く先は、交通機関が整備されていて、宿泊施設も充実しているところはまれで、馬での移動やテント生活などはむしろ当たり前のことでした。トイレが外にあったり、しきりがなくて、便秘になることもしばしばありました。現地の食事に慣れなくて、体調をこわしたり下痢をしたりすることも日常茶飯事《さはんじ》だったのです。

コーカサスでは乗ったバスがぼろぼろで、止まるたびに車を降り、みんなであと押ししなければならなかったし、さらに日本に帰るときには、空港でトラブルに巻き込まれ、危うく帰国できなくなるような事態にも遭遇《そうぐう》しました。

シルクロードでは、コレラが蔓延《まんえん》する地域に足止めされ、食器をいちいち煮沸《しゃふつ》消毒しなければなりませんでした。

アフリカのマサイ族の検診では、槍《やり》を持った背の高いマサイの戦士が見守る中、もしかしたら刺されるのではないかと緊張しながら血圧を測ったために、測っているこちら側が異常に血圧が上がってしまったという笑うに笑えぬ思い出があります。

チベットの高原では、鳥葬《ちょうそう》を見学しているときに急に大きな石を投げつけられ、必死に逃げるという大変な事態に巻き込まれたこともありました。

こうして行った世界各地での病理学的な調査・研究は、まさに命がけの、冒険に次ぐ冒険だったといえましょう。そして数々の危機をくぐり抜け、世界中の食事や血圧を調べているうちに、私はいつの間にか「冒険病理学者」と呼ばれるようになっていたのです。

この冒険病理学の成果は、長寿について貴重な事実を私たちに教えてくれています。では、なぜ私がこのような冒険に出かけるようになったのかを、紹介したいと思います。

ボケで亡くなった人の半数は脳血管性痴呆だった

日本はいまや世界一長生きの国となっています。日本人の平均寿命は延びる一方で、最近も男性七六歳、女性八三歳と、一〇年続けて平均寿命世界一の記録を更新しました。

しかし、残念ながら、日本では長生きしている人はたくさんいても、身体がどこも悪くなく、健康に暮らしている、という人ばかりではありません。痴呆《ちほう》になったり、寝たきりになってしまう人もたくさんいます。実際日本には、九〇万人の寝たきりのお年寄りがおり（厚生省の推計）、寝たきりでなくても病気を抱える人たちがたくさんいるのです。

お年寄りの病気で一番多いのは、循環器系疾患、つまり血管の病気です。中でも高血圧（WHOの基準によれば、最高血圧が一六〇ミリ以上、最低血圧が九五ミリ以上）が最も多く、年をとると三分の一の人が高血圧、三分の一の人が境界域高血圧（最高血圧が一四〇～一五九ミリ、最低血圧が九〇～九四ミリの間にあるもの）といって、要注意の血圧になってしまっているのです。これは脳卒中《のうそっちゅう》や心筋梗塞《しんきんこうそく》が、日本人の死因の二位、三位を占めているという現実を証明するものといえましょう。

また、血管の病気は、痴呆、いわゆるボケにも大きく関係しています。私たちは以前、六五歳以上の高齢者が日本で一番多い島根県で、老人ホームで亡くなった方を病理解剖《びょうりかいぼう》させていただき、死亡原因を徹底的に調べたことがあります。すると驚いたことに、精神科あるいは神経内科の医師の診断によると、三人に一人の割合で、亡くなる前には老年性痴呆になっていることがわかったのです。そして、その老年性痴呆＝ボケになった人のうち、二人に一人は、脳の血管が詰まってしまったために起こる脳血管性痴呆《のうけっかんせいちほう》でした。血管の老化が直接の原因ではないアルツハイマー型の痴呆は、せいぜい二五％以下しかいなかったのです。

ＷＨＯでも、二一世紀には開発途上国も含めて、循環器系疾患が死因のナンバーワンになると予測しています。まさに、「人は血管とともに老いる」といっても過言ではないのです。

このように、せっかく長生きしても、ボケてしまったり、健康を損ねてしまっては、幸せな長寿とはいえません。それは「長生」であって、「長寿」ではないのです。それでは「長生」から「長寿」に向かうためには、どうしたらいいのでしょうか。

脳卒中ラットを作るのにかかった一〇年以上の歳月

「長寿」へと向かうには、老化のメカニズムを知らなければなりません。老化のメカニズムの中で、一番原因がはっきりしているのが、実は循環器系疾患つまり血管の病気なのです。私たちは血管の老化のメカニズムを解明し、動物実験によって血管の老化を確実に予防する方法をつきとめました。

この動物実験には、私たちが作り出した一〇〇％脳卒中を起こすラット（脳卒中易発症ラット）、別名脳卒中ラットが使われました。この脳卒中ラットを作る作業もまた、一筋縄ではいかないとても根気のいる作業でした。

このラットを作るために、それだけで一〇年以上の歳月を要したのです。まず、血圧がやや高めのラットどうしを何代もかけあわせて、確実に高血圧になるラットを作ります。この高血圧ラットを作るのに、私たちの恩師、岡本耕造《おかもとこうぞう》先生は四、五年もかけておられました。

ところが、この高血圧ラットは、なかなか脳卒中にならないのです。もし、ヒトがこのラットほどの高血圧になってしまったら、九分九厘脳卒中で倒れてしまうはずです。しかし、この高血圧ラットはいくら待っても脳卒中になりません。ほかの研究者からは、「ラットではヒトの高血圧の研究はできない」と決めつけられる始末でした。「ネズミは頭を使わんから、脳卒中にはならんのと違うか」とあきらめかけていたある日、一カ月ストレスを与え続けていた一匹の高血圧ラットが、息も絶え絶えになって倒れているのを見つけたのです。さっそく解剖してみると、予想どおり、脳に大出血を起こしているのが確認できました。

この一件で「ネズミでも脳卒中が起こる！」と勇気づけられた私たちは、それからというもの実験を何度も繰り返すことになります。ところが、同じようにストレスを与えてみても、あるグループでは三割のラットが脳卒中を起こすのに、別のグループでは全然起こさない、というように、結果がまちまちなのです。

どうしてなのか、よく考えると、実験に使ったラットの家系が、グループによって違っていたことに気がつきました。脳卒中には、遺伝が関係していたのです。

ということは、脳卒中になりやすい家系の子供を残すようにしていけば、脳卒中を起こしやすいラットを作ることができるわけです。しかし、脳卒中を起こすと、そのラットは死んでしまうので、子孫を残すことができません。この矛盾を解決するために、私たちは子供を生ませておいてから、脳卒中を起こすかどうかを観察し、脳卒中を起こした親の子孫だけを残す、という面倒な作業を繰り返すことになったわけです。

そしてついに、一〇〇％脳卒中を起こすラットができあがったのです。

遺伝的に一〇〇%脳卒中を起こすラットも天寿をまっとうできる

この脳卒中ラットを使った実験で、実にさまざまのことを解明することができました。

一つは、食塩が高血圧の原因になり、ひいては脳卒中や心筋梗塞を引き起こすもとになることです。一方で、良質のたんぱく質や食物繊維、それにカリウムやマグネシウムなどのミネラルを与えると、遺伝的には一〇〇%脳卒中を起こすはずのラットでも健康で長生きし、天寿《てんじゅ》をまっとうできることなど、それまで解明されていなかった仕組みが次々とわかってきたのです。

こうして、栄養、つまり食事を変えれば血管の病気が確実に予防できるということが、ラットの実験で明らかになったのです。

また、これまでヨーロッパでは、脳卒中の原因は、脂肪分の摂りすぎで血中コレステロール値が高くなるため、という説が有力でした。ところが、日本では、血液中のコレステロール値が比較的高い大阪府では脳卒中が少なく、コレステロール値の低い秋田県では脳卒中が多いという、当時の欧米の常識では考えられない逆転した現象が見られたのです。

今までの常識を覆《くつがえ》すようなこのデータも、私たちが行ったラットの実験によって事実関係が確かめられました。脂肪分の少ない食事を長く与え続けると、逆に脳卒中が増えたのです。

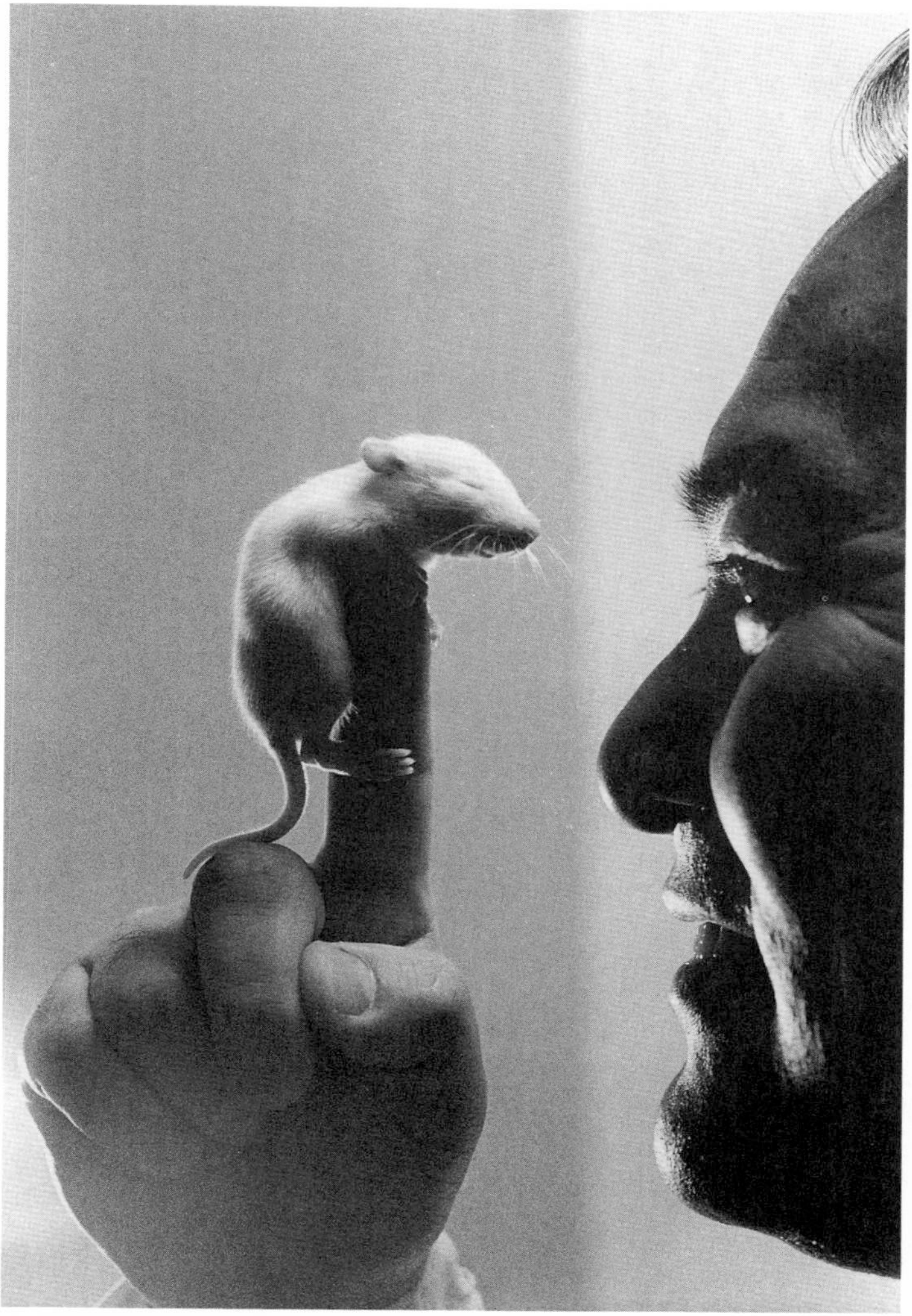

脳卒中ラットと著者（撮影・奈良原一高）

つまり、脂肪分を減らしすぎることは、健康を害するということがわかったのです。

しかし、これはあくまでも動物実験の結果です。ラットでは栄養と血管の病気との関係が証明できても、それが人間でも同じような関係があるのか、ラットにできた脳卒中や心筋梗塞の予防法が人間にもそのまま使えるのかは、わかりません。人間の老化の大きな原因の一つである血管の病気を予防するには、ラットの実験結果が人間にも応用できることを証明しなくてはならないのです。

そうかといって、人間を相手に、たとえばたんぱく質をたくさん与えて、どのくらい長生きするかを調べるなどということは不可能です。が、幸いなことに、この地球上にはいろいろな人々がいて、いろいろな食べ物を食べています。これは神様の実験のようなものだと、私たちは思いました。

そこでこのバラエティに富んだ食べ物と、それを食している人たちの血管の病気との関係、そして寿命とのかかわりを徹底的に調べてみてはどうか、ということになったのです。ラットというモデル動物で証明された事実関係を、人間でも証明するためには、地球上のたくさんの地域で、そこに暮らす人々の健康状態と食事内容との関連を調査する必要がある。つまり大がかりな疫学的《えきがくてき》手段をとらなくてはならないという結論にいたったのです。

尿を採り続けた日数はギネス級

ここで問題になったのが、世界中同じ条件で調査をするにはどうしたらいいのか、ということでした。候補にあがったいろいろな国の食べ物や栄養には、かなり極端な違いがあるのです。これらを同一条件で比較するためには、従来の方法論では正確さに欠け、対処しきれないきらいがあったのです。

たとえば、従来の疫学調査では、「昨日は何を食べましたか」とか、「この三日間に食べたものを記憶している限りあげてください」というような聞き取り調査に重点が置かれていました。同じ国の中であればある程度この方法で重要なポイントは押さえられますが、極端に内容の違う食事をしているほかの地域とを比べる場合には、食材がまったく違ったり、あるいはわからなかったりして、栄養状況を正確に比較することができません。また、人間はどうしても見栄を張るものらしく、実際には食べていない豪華な食事を申告したりするのです。

こういった不確実なデータではない、正確な数値として表れる栄養調査をするためには、私たちは従来の方法とは違った、新しい方法論と道具を開発しなければなりませんでした。そこで考えたのが尿から栄養摂取状況を推定するというものです。

まず予備研究として、二年ほどかけて、学生に植物性、動物性などさまざまな種類のたんぱく質を含む食事を食べてもらい、それが尿の中にどのようなアミノ酸となって出てくるのか、という調査を行いました。この実験から、二四時間分の尿を集めれば、かなり正確に栄養摂取状況が推定できることがわかりました。

実はそれまで尿は栄養分を推定する材料としては、利用されていなかったのです。なぜなら二四時間分の尿を疫学的に集めるなどということは、とうてい無理だ、と考えられていたからです。人によって尿の量はさまざまで、ビールをよく飲むドイツ人の場合、二四時間分の尿はときには四リットル、一升瓶《いっしょうびん》二本分にもなります。こんな大量の尿を集めてください、と頼んでも誰も協力してくれません。そこで私たちは、ワンタッチで入れた尿の四〇分の一の量だけを正確に集められる、比例採尿装置を作りました。そして、この装置をアリコートカップ（一五三頁写真参照）と名づけました。

今度はそのアリコートカップが、きちんと間違いなく目的の尿を集められるということを証明しなくてはなりません。そこで私たち研究室の全員が一年以上、毎日欠かさず尿を採って、データを集めることにしました。おそらく毎日尿を採り続けた日数としては、世界記録でしょう。ギネスブックには申請していませんが、申請すれば間違いなく載るはずです。

このデータから、アリコートカップによる採尿で、確実に一日の尿の四〇分の一の量が集められ、栄養摂取状況を推定できることがわかりました。

世界のどこへ行っても同じ方法、同じ基準で調査をするために

また、血管の病気には、血圧が大きく関係しているので、血圧をきちんと測る必要があります。しかし、従来の聴診器で測るやり方は、客観的な国際比較に耐えうるものではありません。そこで私たちは、一定の測り方ができてそれを自動的に記録することができる精度の高い自動血圧計を、特別に開発しました。これで初めて、世界のさまざまな人々の血圧を、一定の測定の方法によって客観的に比較することができるようになったわけです。

さらに食事をきちんと分析するために、前の日に食べたものを持ってきてもらってミキサーにかけ、それを袋に詰めて冷凍して日本に持ち帰り、栄養を分析することも行いました。こうして世界のどこへ行っても同じ方法、同じ基準で調査ができるようになったわけです。

私たちはこれらの道具を携えて、一九八五年から世界各地へ調査に出かけ、冒険を重ねてきました。調査・検診は本当に苦労の連続でしたが、一〇年の歳月をかけて、二五カ国、五七カ所を調べることができたのです。その成果として、ラットの実験以上に興味深いことが次々と明らかになりました。どうしたら長寿をまっとうできるか、世界の長寿の人は何をどのように食べているのか、本書では際立った特徴が見られた地域を中心に、道中の様子を交えてご紹介していきたいと思います。

調査地域地図

WHO CARDIAC STUDY

57ヵ所、25ヵ国

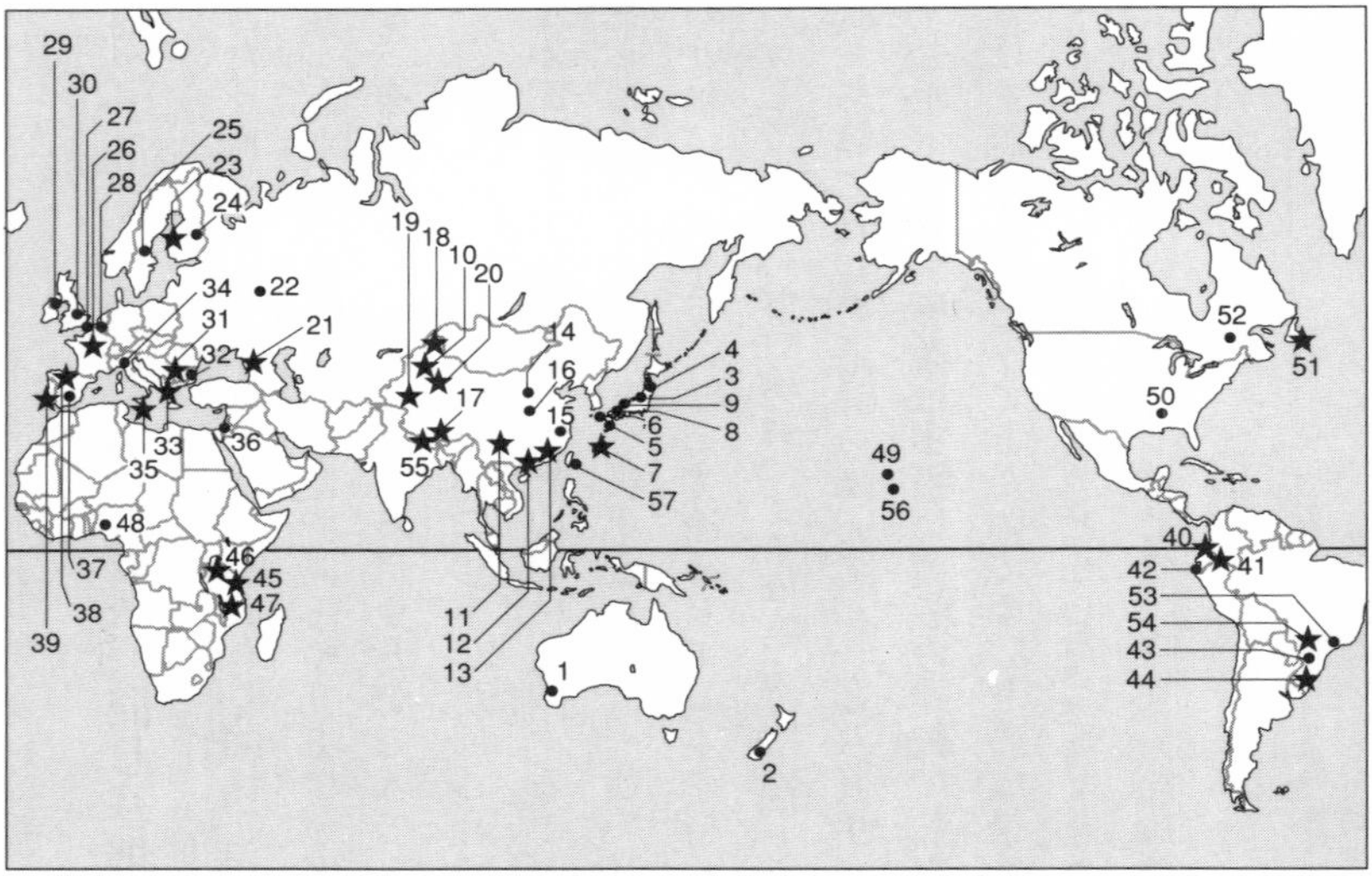

1 オーストラリア(パース) 2 ニュージーランド(ダニーデン) 3 日本(富山) 4 日本(弘前) 5 日本(別府) 6 日本(久留米) 7 日本(沖縄) 8 日本(広島) 9 日本(大田) 10 中国(ウルムチ) 11 中国(貴陽) 12 中国(広州) 13 中国(客家) 14 中国(北京) 15 中国(上海) 16 中国(石家荘) 17 中国(ラサ) 18 中国(アルタイ) 19 中国(ホーティエン) 20 中国(トルファン) 21 旧ソ連(グルジア) 22 旧ソ連(モスクワ) 23 フィンランド(ノースカレリア1) 24 フィンランド(ノースカレリア2) 25 スウェーデン(イェテボリ) 26 フランス(オルレアン) 27 ベルギー(リューベン) 28 ベルギー(ジェント) 29 イギリス(ベルファスト) 30 イギリス(ストノウェイ) 31ブルガリア(ソフィア1) 32 ブルガリア(ソフィア2) 33 ギリシャ(アテネ) 34 イタリア(ミラノ) 35 イタリア(シシリー島) 36 イスラエル(テルアビブ) 37スペイン(ナバス) 38 スペイン(マドリッド) 39 ポルトガル(リスボン) 40 エクアドル(キトー) 41 エクアドル(ビルカバンバ) 42 エクアドル(マンタ) 43 ブラジル(ウルグアイナ) 44 ブラジル(バジェ) 45 タンザニア(ハンデニー) 46 タンザニア(シンヤ) 47タンザニア(ダレスサラーム) 48 ナイジェリア(イバダン) 49 アメリカ(ホノルル) 50 アメリカ(ジャクソン) 51 カナダ(ニューファンドランド島) 52 カナダ(モントリオール) 53 ブラジル(サンパウロ) 54 ブラジル(カンポグランデ) 55 ネパール(ナムチェバザール) 56 アメリカ(ヒロ) 57 中国(台北)

★は本書に出てくる地域です。

第1章

世界の長寿地域を訪ねて

コーカサスの長寿村の幸福な生活

三年間のたらい回しの末、やっとグルジアへ

旧ソ連南部、黒海とカスピ海にはさまれたコーカサス地方は、長寿地域として世界中に知られているところです。一〇〇歳以上のお年寄りがいきいきと暮らしており、長寿の里といわれています。

このコーカサス地方でもとくに長寿の人が多いといわれているのがグルジア共和国。気候が温暖で、起伏に富んだ地形の美しいところです。首都のトビリシはトルコにも近く、東西の文化や貿易の交流地点として古くから栄えてきました。人口は約五三〇万人、そのうち一〇〇歳以上のお年寄りは九〇七人で、人口一〇万人当たりでは一七人が一〇〇歳以上ということになります。

この素晴らしい長寿の秘訣をぜひとも探りたいと考えた私たちは、一九八六年七月、グルジア共和国のジャワ近郊の農村で調査をすることにしました。

ところが、当時のグルジア共和国は、旧ソ連邦の中の一共和国だったため、調査に行くといってもすぐに始められるというわけにはいきませんでした。最初にモスクワの科学アカデミーの承認を得なければならない、というので、一年かかって交渉し、やっと許可が降りました。そこで予備調査のために機材を持ってモスクワまで出かけたところ、今度は、この調査はキエフの老人病研究所の管轄《かんかつ》だからそこへ行け、というのです。しかたなくキエフ老人病研究所まで行って調査について説明したところ、それならば医学アカデミーの承認が必要だというのです。さらにその医学アカデミーの許可を得るのにも一年かかり、結局、グルジアに予備調査に行くまでに約三カ年をついやしてしまいました。

大勢の一〇〇歳老人に歓迎される

しかし、いざ現地に着くと、そこは予想以上に素晴らしいところでした。センチナリアンと呼ばれる一〇〇歳老人が大勢いて、大歓迎してくれたのです。根気よく交渉したかいがあったというものです。

グルジアの人々は、ロシアよりはるかに古い文明をもっています。宗教は、ギリシャ正教、そして古くからあるグルジア独特のキリスト教を信仰している人も多くいます。もともとこの地は、お隣のアルメニアでアルファベットが最初に作られたというようにロシアより先に開けていたにもかかわらず、北方民族に征服されてしまったという不幸な歴史がありす。そのような歴史的背景があるからでしょうか、彼らは非常に独立心が強く、食文化を含めて自分たちの伝統的な文化に誇りをもって暮らしています。

言語もロシア共和国とは違っており、グルジアでは主にグルジア語が使われています。また、調査したジャワはオセチア語が主に使われており、調査をするときは、私たちが英語で話すのをロシア語に通訳してもらい、それがグルジア語になり、さらにそれがオセチア語に通訳されて、ようやく話が通じるという複雑な段取りを踏まなければなりませんでした。

果物の皮や種をまるごと食べるグルジアの人々

そのジャワの近郊の農村でお年寄りと一緒に食事をしてまずびっくりしたのは、テーブルの上にたくさんの野菜・果物がのっていることです。現地の人たちがどんなものを食べてい

歓迎の式典にグルジアの正装を着て出席する著者。

るのかを知るためにマーケットに出かけてみましたが、そこにもプルーン（セイヨウスモモの一種）などの果物や、珍しい香味野菜が山積みにされていました。

とくにプルーンはグルジアが発祥の地であり、現地では「生命の実」と呼ばれて大切にされています。プルーンにはトマケリ、クリアビ、チャンチュリなど、たくさんの種類があり、生で食べるほかに、乾燥させて保存食にもします。

野菜・果物の食べ方で日本と違うことは、皮や種もまるごと食べてしまうことです。私たちが訪れた季節がぶどうの最盛期だったこともあり、大皿にもこぼれ落ちんばかりに盛られたぶどうが出されました。そして、これをみんなで食べたのですが、グルジアの人たちは丸ごとどんどん食べていくので、テーブルは汚れません。一方、私たち日本人側のテーブルはといえば、捨てられたぶどうの皮や種でいっぱいになっています。これは礼儀に反したことをしてしまったと思い、皮も種も食べることにしました。確かにばりばりとかじれば、食べられないことはありません。

あとでわかったことなのですが、この方法は実に健康にいい食べ方なのです。皮には食物繊維が豊富に含まれていますし、種にはまた、コレステロール値を下げる不飽和脂肪酸《ふほうわしぼうさん》が入っているからです。

しかし、現実は大変な結果となってしまいました。こうして皮や種をまるごと食べていたところ、全員下痢を起こしてしまったのです。そのうち、一人は脱水症状まで起こしてしまう始末です。

もちろん現地の人たちは、皮や種を食べていてもまったく平気です。私たち三人の中で一番症状の重かったのが、酒の飲めない人だったので、現地の人たちはアルコールで身体に悪い菌を消毒しているから大丈夫なのかもしれない、などと考えたりしました。ここの人たちはウオッカのような強い酒を何杯も何杯も飲むのです。しかし、事実は別のところにありました。

買い物客でにぎわうバザール。色あざやかな果実が山盛りに積まれている。

いつまでも腐らないグルジアのヨーグルトの秘密

その秘密は、グルジアの人たちが、朝、昼、晩と飲むヨーグルト（発酵乳）にあったのです。このヨーグルトは自家製でどこの家庭でも作っており、日本の自家製の糠味噌《ぬかみそ》漬けのようにそれぞれの家によって味や香りが違います。

そのヨーグルトの栄養を分析するために、日本に持ち帰ったところ、不思議なことが起こりました。分析が終わったヨーグルトをそのままにしておいたところ、このグルジアのヨーグルトはいつまでも腐らずに飲むことができるのです。普通のヨーグルトなら腐って酸っぱくなってしまうのに、おかしなことがあるものだと思い細菌を研究している先生に調べてもらうことにしました。その結果、大変興味深いことが判明しました。

ヨーグルトは空気がないと発酵しないので、蓋《ふた》を開けて空気に触れるようにしなければなりません。しかし、あまり長期間空気に触れていると、空気中の大腸菌などの雑菌が入り込んで、腐ってしまいます。ところが、このグルジアのヨーグルトは、しばらく放置したあとでも、三種類の菌しか検出されず、ものを腐らせるような大腸菌などは検出されなかったのです。つまりこのヨーグルトには抗生物質《こうせいぶっしつ》が入っていて、三種類の菌以外の大腸菌などはその抗生物質によって殺されてしまうので、腐ったりしない、ということでした。

このような自然の中にある抗生物質をいつも摂っていれば、ふだん体内にあるものとは違った身体に悪さをする菌が身体に入っても、それが腸内で増えるようなことはないのです。現地の人たちがぶどうを皮ごと食べていても、下痢をしないのは当然なことだったのです。

大昔の注射器が現役で使われているグルジアの医療事情

しかし、グルジアのヨーグルトを常食している現地の人たちとは対照的に、私たちのほうは、下痢が悪化して危険な状態になっていました。そこで、医療の整っていないグルジアにいてはだめだ、モスクワまで帰ろうということになり、夜行列車に乗ることにしたのです。

ところが、夜行列車の中で腹痛がますますひどくなってしまいました。そこで医者に来てもらい、ブスコパンという胃痙攣《いけいれん》の薬を打ってもらうようお願いしました。

そのときびっくりしたことがありました。お願いした女医さんがカバンから取り出した注射器が、何とガラスの筒に鉄のピストンが入った代物だったのです。私が勤めていた島根医大の医学展示物図書館に、江戸時代から明治初期に使われていた注射器が陳列してあるのですが、それと同じものだったのです。ガラスとガラスをすりあわせることは技術的に難しく、ガラス製ピストンの注射器は、だいぶあとになってから、使われるようになったのだそうです。グルジアではその大昔の注射器が現役で使われているのでした。こんな旧式の注射器では、消毒してあるかどうかも疑わしく、私たちは大変怖い思いをしました。

このように、医療体制は国によって大きな違いがあり、正直なところコーカサスでは医療がそれほど発達しているとはいえません。しかし、それでもグルジアが長寿を達成しているのです。長寿はお金（医療費）では買えないのかもしれないと私たちは思ったのでした。

脂肪を上手に落とすグルジアの肉料理

グルジアの主食は小麦ととうもろこしで作ったパンで、香味野菜とチーズをつぶして混ぜたものを、そのパンの中に詰めて食べます。チーズは牛乳を四〇度ぐらいに温めて、牛の十二指腸から取ったエキスを入れて固めたもので、かなり塩味がきいています。

肉は、シャシュリクと呼ばれる焼き肉にします。日本ではシシカバブとして知られているもので、野外で肉を香りのいい木の枝につきさして焼くというもの。香辛料はよく使いますが、塩は必ずしも使うわけではありません。実際、あまり塩を使わなくても、香辛料のおかげでおいしく食べられます。

このような肉の焼き方は、脂肪を落とすことができ、良質のたんぱく質を多く摂ることができ、塩をあまり使わないので、高血圧を防ぎます。

肉料理でもう一つ、健康的な食べ方をしているものに、肉をゆでて食べるハシュラマという料理があります。これはゆでている間に浮いてきた脂肪を全部捨てて、たんぱく質だけになった肉を、香辛料をうまく使って味付けする料理です。

このようにグルジアの人々は、肉を食べる際に脂肪を落として食べているので、良質のたんぱく質だけをたくさん摂取することができるのです。実際、調査結果によれば、グルジアの人々はたんぱく質を日本人の一・五倍摂っているということがわかりました。

このたんぱく質、十分に摂れれば脳の血管が丈夫になるということが動物実験でわかっています。

さらに、グルジアの肉料理は塩と脂肪の両方をたっぷり使った西欧風の肉料理と違って、

余分な脂肪を落として食べるコーカサスの焼き肉、シャシュリク。

必ずしも塩を使わないというのが特徴です。グルジアのほかの料理では塩をそれなりに多く使っているのですが、肉料理は塩を使わないようにしているのです。

これは身体にとっては、とてもよいことです。というのは、塩と脂肪の組合わせは、血液中のコレステロール値を高くする、とても悪い組合わせだからです。

食事によって摂取された脂肪分は、腸から吸収される際に、リンパ液によって腸管《ちょうかん》から静脈まで運ばれます。塩分はそのリンパ液の量を増やしてしまうのです。増えてしまえば、それだけ脂肪分は血液の中に多く流れ込みます。だからこそ、塩と脂肪は同時に摂取してはいけないわけです。

今回の調査でわかったことは、グルジアでは血管の病気が少ないということでした。血管の病気は、脂肪分の摂りすぎによる血液中のコレステロール量が増えることによって起こることが多いのです。血管の内膜にコレステロールが付着し、血管の内腔《ないこう》が狭くなり血液がうまく流れず動脈硬化症《どうみゃくこうかしょう》、心筋梗塞《しんきんこうそく》などの病気になるわけです。

グルジアで血管の病気が少ないのは、よく食べる肉料理に、もともと脂肪分が少ないということと、結果的に脂肪分を増やすことになる塩分を同時に摂ることがないからなのです。塩ではなく香辛料で主に味付けしたグルジアの肉料理は、血管の病気を心配する必要がないわけです。

食事は最長老の乾杯から始まる

グルジアではお酒が長寿の源であると信じられており、実によくお酒を飲みます。調査のときも、ぶどうが穫れすぎていたようで、先祖代々から受け継がれた庭に埋め込んである大きなかめで自家醸造のワインを作っていました。掘り起こしたかめを見せてもらいましたが、直径が一メートル以上もある大きなものです。お客が来ると、ひょうたんで作ったひしゃくで一〇〇年もののワインをこのかめから汲み出して、ふるまってくれます。

また、自家醸造のビールも作っています。これもとても濃厚なもので、蓋をあけると炭酸の泡がわあっと吹き出してきます。このビールの炭酸は、あとから人工的に入れたものかと思っていたのですが、酵母《こうぼ》が発酵するときに自然にできるものでした。ビールもワインと同じように、透明なものではなく、ビール酵母などがそのまま入っているものです。これもきっといい栄養源になっているのでしょう。土地の人が、アルコールが長生きの源だと信じているのには一理あると思われました。

食事は大家族、一族郎党《いちぞくろうとう》みんなそろって、一〇人以上もの人が一堂に会して、テーブルを囲みます。食事のときには必ず酒を飲みますが、ただ黙って飲むのではありません。必ず長老が「○○さんのために乾杯」などと乾杯のあいさつを言ってから飲みます。最長老が乾杯している間、次の長老は横に控えて、最長老に「次はあなたが乾杯しなさい」と言われるまで待っているのです。こうして次から次へと乾杯を繰り返し、にぎやかに食事をしていくわけですが、記録によると、一晩でなんと千回も乾杯したこともあるそうです。

日本のようにお年寄りがたった一人で食事をするようなことは、このグルジアではありません。このような光景を見るにつけ、みんなで食卓を囲み、歌や会話で楽しみながら食べる食事が、長寿にとって大事な条件であることが、実感としてわかってきたのでした。そもそもグルジアでは、お年寄りは農耕牧畜の経験が役に立つので、非常に尊敬されています。長老は一族の相談に乗ったり、孫やひ孫を連れて牛を追ったり、ぶどう畑の世話をしたり、いろいろと仕事があるので、年をとってからも毎日がとても忙しいと言っていました。

こういった、自分が家族や社会の中で一定の位置を占めていると思えるような人間関係や、人のために役に立っているという役割感が、お年寄りの活力を支えているのです。

帰国直前に、法外なサンプル持ち出し料金を請求される

調査を終えてモスクワから帰国しようとしたところ、また、面倒なことになりました。日本で分析するため、現地の食事を集めてミキサーにかけ、袋に詰めて凍結した一五〇キロの食事サンプルが、制限重量をオーバーしているというのです。持ち出すためには「即金で一万ドル支払え」と言われました。当時一ドルが二八〇円でしたから、日本円で二八〇万円にもなります。そんな大金をすぐ払え、と言われても払えるわけがありません。

すると彼らは、私たちがソ連に入国するときに申告させられた所持金の額を調べて「お金ならあるじゃないか」と言うのです。そのときは岩波の科学映画のスタッフも同行していましたから、確かに全員の所持金をあわせれば、そのぐらいになっていました。ただし、それは個人のお金ですから、ここで支払うわけにはいきません。しかし、支払わなければ「お金がないというのは嘘の申告だからソ連の法律で裁かれる」とのこと。一方で飛行機の離陸時間も迫り、出国手続きをしないと乗り遅れてしまいます。これはえらいことになったなあと

長老を中心に大勢で楽しむ食事。

思いました。

結局代表者が残らなければならなくなり、私ともう一人のスタッフが残されて、飛行機は勝手に飛んでいってしまったのです。まさか本当に置きざりにされてしまうとは思ってもいなかったので、急に心細くなりました。「異国の丘」という、第二次世界大戦後のシベリア強制収容所のことを歌っていた歌なども思い出されて、いよいよシベリア送りかと思うと、不安は募るばかりです。

せめて日本大使館に連絡させてくれ、と頼みこみ、大使館の人になんとかならないものかと相談したところ、大使館の返事は「サンプルを放棄しなさい」というものでした。仕方なく、その指示に従うことにしましたが、そのとき私はちょっとした気転をきかせました。ちょうど空港に来ていたモスクワの共同研究者に、「このサンプルを捨ててくれ、でもできれば残しておいてくれないか」と頼んで、サンプルを渡したのです。

それで公には放棄したことになり、私たちは翌日、一日遅れで帰国することができました。サンプルのほうも、モスクワの研究者が冷蔵庫に保管しておいてくれたので無事でした。そして、私たちは後日、このモスクワの研究者を日本で開催した国際会議に招待し、その来日の際にサンプルを持ってきてもらい、回収にこぎつけたのでした。

なぜこんな無理難題をつきつけられたのか、考えてみると、私たちが調査に行った一九八六年七月は、ちょうどあのチェルノブイリ原発事故（一九八六年四月）のすぐあとだったのです。グルジアは旧ソ連でも有数の穀倉地帯であり、野菜・果物の宝庫です。いわばソ連の米蔵というべきところです。ここの食べ物が、放射能で汚染されているということが世界的に発表されると、深刻な事態になります。

ソ連当局としては、食事サンプルなどを持ち出されて、放射能の量を測られては大変だと思ったのでしょう。それどころか、まったく別の調査をしていた私たちを、ＷＨＯによる放射能汚染調査のようにみせかけ、その調査によっても原発事故による放射能汚染は発見されなかったということにしておきたかったのです。

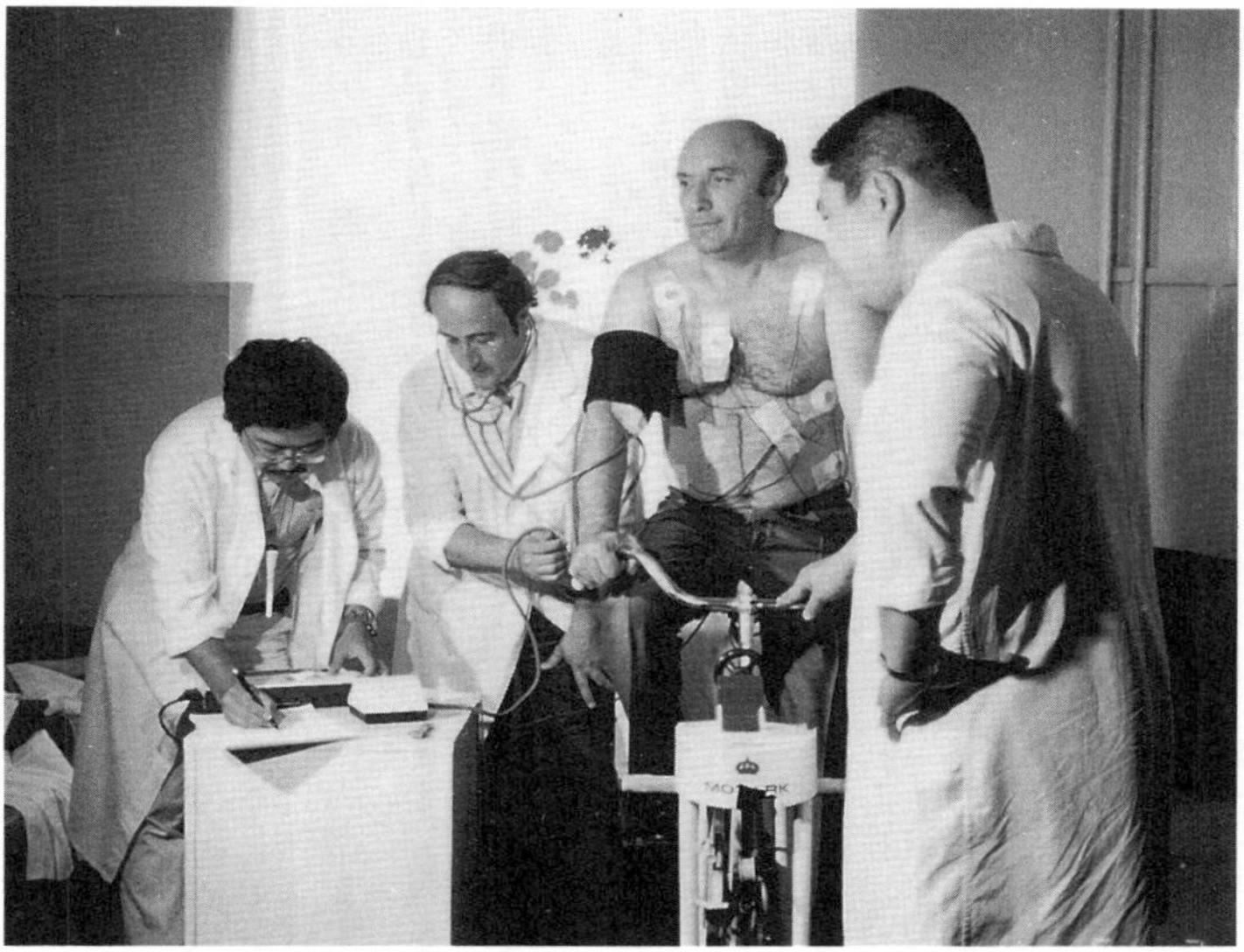

グルジアでの検診風景。自転車型のトレッドミルをこいでもらう。

三〇年来の高血圧だが、元気なのはなぜ？

　長寿を実現しているグルジアですが、決して塩分の摂取量が低いわけではありません。高地で冬の寒さが厳しく、保存食にかなり塩を使うため、塩分はかなり摂っています。高血圧の人もけっこういて、中には最高血圧が二〇〇を超えるような人もいました。その人は三〇年来の高血圧だそうですが、時々頭痛がするぐらいで、とくに病気であるわけでもなく、薬も飲んでいません。

　これはおそらく、野菜・果物を多く食べているのがいい影響をあたえているのだと思います。動物実験でも証明されていますが、野菜・果物の中にはカリウムや食物繊維があり、これが、食塩の害を打ち消してくれるのです。食物繊維は塩分を吸着して、腸から塩分が吸収されるのを防ぎます。カリウムはいったん吸収された塩分を腎臓に出す働きがあるのです。

カリウムは野菜・果物の細胞の中に含まれていて、加熱すると細胞の外に出ていってしまうので、あまり煮炊きしないほうがいいのですが、グルジアでは生で丸かじりすることが多く、この点でもいい食べ方をしています。塩を使わずに乾燥させているのも、カリウムがそのまま摂れるいい方法なのです。

もう一つ、食塩の害が出ない理由は、たんぱく質をしっかり摂っていることです。グルジアの人々が毎日飲むヨーグルトには、良質のたんぱく質が含まれていますし、また、焼いたりゆでて、脂肪分を落とした肉にもたんぱく質がたくさん含まれています。さらにヨーグルトには、塩分を排出させる働きがあるカルシウムが多く含まれているのです。

グルジアの人たちは、食べ物も含め、自分たちのいい伝統を残し、きちんとそれを維持しています。また、お年寄りは社会や家庭の中で、みんなから尊敬され、隠居をすることなく一人ひとりいろいろな仕事をしています。世界一の長寿というのは、このような伝統を守った身体によい食事と、社会の中での老人の立場が守られていることによって成り立っているのです。

■コーカサスの長寿の秘訣

●食塩の摂取量は多いが、塩の害を打ち消すカリウム、食物繊維を含むぶどうやプルーンなどの果物を大量に食べている。
●腸内によい細菌だけを残すヨーグルトを毎日飲んでいる。
●肉を串焼きにしたり、ゆでたりして、脂肪を上手に落して良質のたんぱく質をたくさん摂取している。
●お年寄りの知恵が尊敬され、大家族で暮らし、社会や家族の中で大切にされている。

誇り高きマサイ族の健康診断

「アフリカに高血圧の人がいない」というのは本当か？

血圧の研究が始められたころ、アフリカには高血圧の人がいない、という説がありました。ですからアフリカの人は、脳卒中《のうそっちゅう》や心筋梗塞《しんきんこうそく》などの成人病も少ないのではないかといわれていたのです。そこで、アフリカには本当に高血圧や成人病の人が少ないのか、アフリカ大陸の東南にあるタンザニア連合共和国で調査をすることにしました。一九八七年六月のことです。

アフリカでの調査は、最初から肝を冷やすようなことの連続でした。私たちは、タンザニアの首都ダレスサラームに空路で入り、検診に必要な機械を積んだ船が港に入るのを待ちうけていました。しかし、その船が着かないのです。採尿器、注射器、体力測定のためのトレッドミル（ルームランナー型の体力測定器）、マラリアよけの蚊取線香六〇〇巻など、調査に必要ないっさいがっさいを積んだ船は、私たちが到着したすぐあとに入港するよう手配してありました。

来る日も来る日もダレスサラームの港が見える山の上に登って、「早う日本の船は来んかなあ」と待っていましたが、いつまでたっても船は来ません。しびれを切らして、船の日本からの足取りを調べてもらうと、その当時ペルシャ湾で機雷が浮いたという事件があって、船は先へ進めなくなり、途中の港で荷物を降ろして戻ってしまったとのことです。これではいつまで待っても来ないはずです。仕方なく最低限必要なものを飛行機でもう一度日本から送ってもらい、とにかく検診を始めました。

調査は、都会のダレスサラームと、農村のハンデニーというところで行いました。

最初に調査をしたダレスサラームは、タンザニアの首都で、今やタンザニア一の大都会です。ところが、ここでは大変なことが起こっていました。血圧を測ったところ高血圧の人の割り合いが日本の倍もいるのです。そして肥満の人も多く見られました。この調査では五〇歳から五四歳の男性、女性、各一〇〇人ずつを調べました。世界中で平均すると、この年代では約二〇%の人が高血圧と診断されていますが、ここ、ダレスサラームではなんと四〇%もの人が高血圧になっていました。また、尿を調べると、糖尿病の傾向のある人もたくさん見つかりました。アフリカでは高血圧や成人病の人が少ない、という説は間違いだったのです。残念ながら、大都会では成人病が急激に増えていることがわかりました。

エイズと眠り病とマラリアの恐怖

ダレスサラームの次は、陸路で奥地の農耕地帯であるハンデニーへ向かいました。タンザニアの道路は一応舗装されていますが、道路脇のところどころに横倒しになったトラックの残骸《ざんがい》が目につきます。これは、道路にできた天然の落とし穴に落ちたために横転してしまったものだそうです。ここの舗装道路は普通の土の上にアスファルトを敷いただけのものなので、雨季になるとアスファルトの下土が流れて空洞になっている場合があり、そこを知らずに通ったトラックが穴に落ち、横倒しになってしまったものなのでした。ゆっくり走っていると、穴があいて落ちてしまうかもしれないというので、スピードを出して走り抜けてしまったほうが安全とのこと。簡易舗装のつぎはぎだらけの道をかなりのスピードでひた走ります。乗っているほうとしては、胃が上下するのと、いつ穴に落ちるのかという恐怖心で気分が悪くなってしまいました。

こんな悪路《あくろ》を丸一日かけて車をとばすと、やっと目的地のハンデニーに着くことができました。ここには、ホテルがないので、学校の寮に泊まらせてもらいました。タンザニアでは日本の旧制高校のように、政府が各地に高等学校を作って寮を併設し、優秀な学生を集めて教育しています。このときはWHOが来たというので、寮の一棟を宿舎として提供してくれました。それで隣の寮を見ると、ずいぶんと混みあっています。わざわざ学生が寮を移ってくれて、部屋を空けてくれたのです。これには感激しました。

シーツも一応きれいにしてくれていたので、これまたありがたいと思って寝たのですが、夜中に日本人は全員起きるはめになりました。何かの虫にかまれたらしく、とにかくかゆくて眠れないのです。

朝になって、かまれたあとを見ると、豚の足跡のような三つの点がついています。これは南京虫《なんきんむし》にかまれたあとです。すでにアフリカではエイズが多いことがわかっていたので、私たちはあわてました。というのは、当時、エイズウイルスを持った南京虫にかまれると、エイズそのものに感染してしまうという説があったからです。アフリカにエイズが多いのは、このような血を吸う虫が多いからだという学者もいるほどで、私たちは内心、いつもひやひやしていました。

南京虫だけでなく、眠り病を媒介するツェツェ蠅にも刺されてしまいました。ツェツェ蠅は日陰が好きで、髪の毛の下にもぐって頭を刺します。現地の人は飛び方や形でわかるのでしょう、すぐに逃げてしまいます。しかし、私たちはただの蠅だと思って油断しているうちに、刺されてしまったのです。眠り病は潜伏期間があるので、日本に帰ってきて教授会で居眠りするたびに、もしかしてツェツェ蠅にやられたのでは、と思ったものです。

さて、エイズや眠り病にはなんとかかからずにすんだわけですが、マラリアにはスタッフの一人がかかってしまい、また日本に帰ってから、もう一人マラリアにかかっていると判明した人が出てしまいました。この人の場合は、帰国して熱が出たのですが、最初のうちは病名がわかりませんでした。しかし、あまりに高熱が続くので、これはおかしいということになりよく調べたところ、ようやくマラリアだという診断がついたわけです。マラリヤは今やもう日本にはない病気なので、診断が難しかったわけですが、もう少し診断が遅れれば、大変な事態になっていたはずです。

野生動物の肉はほとんど食べないアフリカの人々

こんなわけで、私たちは伝染病の恐怖と戦いながら、ハンデニーで検診を続けました。

大都会のダレスサラームとは違って農村のハンデニーでは、あまり太った人はいません。

また、高血圧の人も少なく、九%ぐらいしかいないのです。

食生活も、大都会とでは大きく違っていて、ハンデニーでは、高血圧になりにくい食べ物を多く摂っています。たとえば、小麦ととうもろこしの粉を熱湯で練ったウガリと呼ばれる主食は、殻を被ったものをそのままつぶしているので、食物繊維やカリウムが豊富に含まれています。

青空市場では、キャッサバと呼ばれる中南米原産のいもの一種が売られています。これは煮たり、油であげたり、そして生のままで食べたりしています。このキャッサバにも食物繊維が多く含まれています。

また、塩分を体外に排出する働きがあるたんぱく質は、ハンデニーの人たちは豆で摂っています。これは英語で、腎臓（キドニー）の形に似ているのでキドニービーンズと呼ばれている、空豆のような形の赤い豆です。この豆にはたんぱく質のほか、食物繊維やカリウム、マグネシウムなど、高血圧の予防にすぐれた効果のある栄養素がほとんど含まれています。

もう一つ、高血圧の予防にいいものとしてダガーという、近くのタンガニーカ湖で獲れる小魚を干したものがあります。これは日本のジャコにそっくりな小魚で、ウガリと一緒にして食べます。

こういったものを、現地の人たちは手づかみで器用に食べます。スープのようなものまで、スプーンなどを使わずに、手で飲んでしまうのには驚きました。ばさばさのウガリを手に取って、よく練ったものの真ん中をくぼませ、そのくぼみにスープをすくい取ってきれいに飲むのです。日本人はこぼしてしまって、上手に食べることができませんでした。

アフリカというと、野生動物がたくさんいて、みんなそれを食べているようなイメージがありますが、実際には野生の動物はほとんど食べません。たまに動物の肉を食べるときは、ウェルウェルウェルダンとでもいうほどの焼きかげんで、カチカチになるまで火を通してから食べます。私たちなどは食べられないぐらい、固い肉でした。おそらくこれまでの経験で、生焼きの肉を食べて寄生虫病にかかってしまい、ひどい目にあったのでしょう。肉を食べるときは、大変用心して食べています。

武者修行をしているマサイ族の青年との出会い

このハンデニーで検診していたとき、その様子をじっとのぞいていた二人の青年がいました。村を出て武者修行《むしゃしゅぎょう》していたマサイ族です。

マサイ族の男子は、大きくなると生まれ故郷の村を出て、二年ぐらい外の世界を見て歩きます。何か事故があったときの用心に、必ず二人一組で出かけます。

この武者修行は、青年にとってはいろいろな鍛練《たんれん》の場、勉強の機会であると同時に、よそ

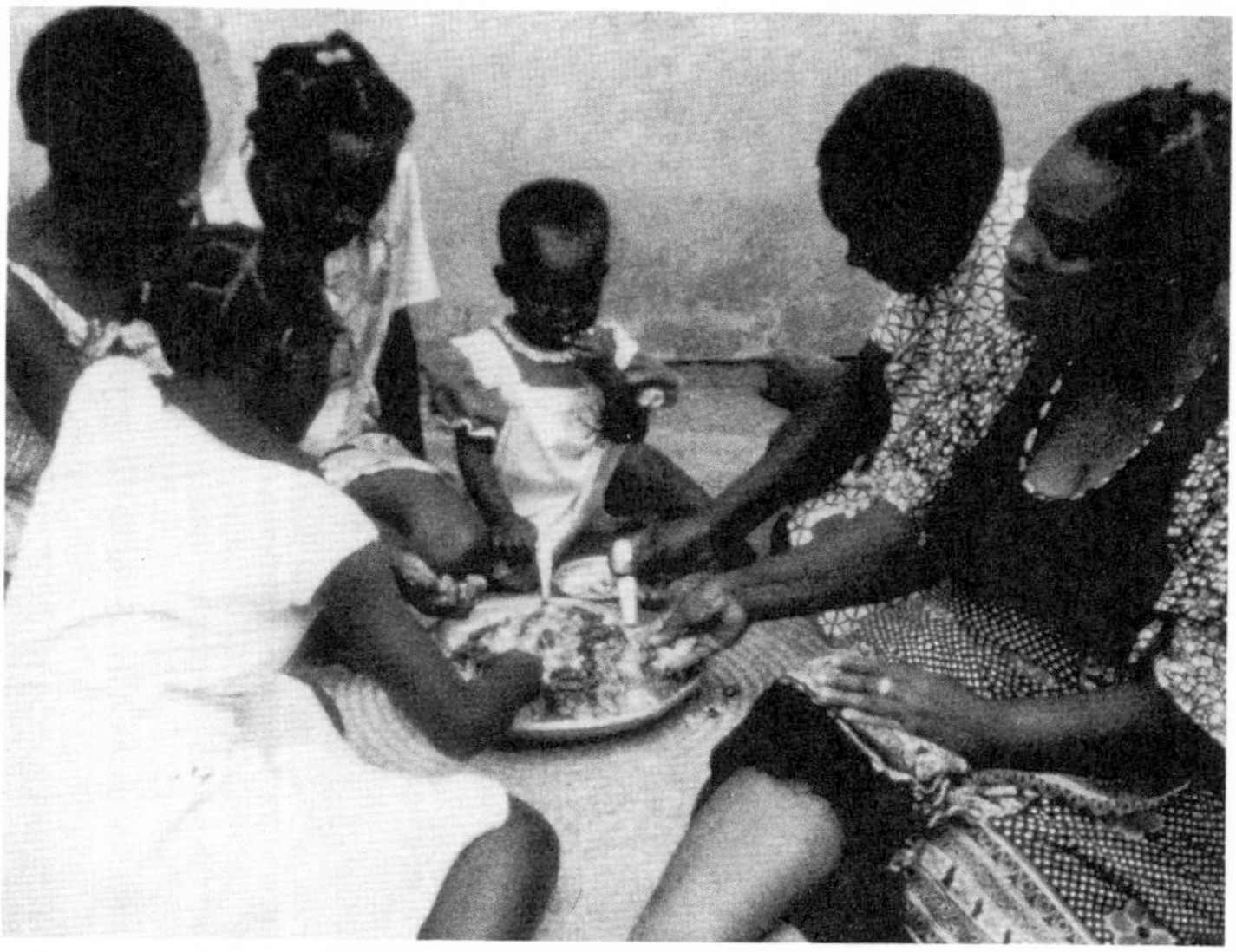

バサバサしたウガリを手づかみで器用に食べる。

の集団ではどんなことが起こっているのか、村に最新のニュースを持ち帰る役目もある、非常にユニークなシステムです。

その青年二人が、興味深げに私たちがやっていることを毎日観察にきていました。病院の中で検診している様子を、槍《やり》を持ったまま、外からじいっと見ているのです。あるとき、とにかく中に入ってみたらどうだ、同じことをやってあげるからといって、そのマサイ族の青年の血圧を測ってあげたのです。

この青年たちは、ハンデニーの人たちが、この検診によって自分たちの健康状態を知ることができて喜んでいるのを知っていました。そして自分たちも検診を受けたことで安心したのでしょう。ぜひ自分たちマサイ族にも同じ検診をやってもらえないかといってきたのです。マサイ族の暮らしぶりには以前から興味があり、こちらとしてはねがったりかなったりということで、二つ返事で引き受けました。そしてキリマンジャロの麓のシンヤまで行き検診を始めたところ、マサイ族の人たちが次々とやってきました。

そこでマサイ族の人たちの血圧を測ってみると、血圧の高い人がほとんどいないのです。世界的な基準から見れば、五〇代前半の五人に一人は高血圧なのですが、あまりに高血圧の人がいないので、自動血圧計が壊れているのではないかと思ったぐらいでした。このとき試しに自分の血圧を測ってみたところ、ひどい高血圧になっていました。マサイ族は槍を持ち、腰には短刀を下げています。恐怖心がストレスを高じさせ自分の血圧が上がってしまっていたのでした。ともあれ血圧計は正常に作動しており、やはりマサイ族には高血圧の人がほとんどいないことが確かめられました。

一つ問題だったのは採血です。マサイ族だけでなく多くの遊牧民は、血は魂であると考えているので、それを抜くなどということはなかなか納得してくれません。しかし、血液を調べることは、健康かどうかがわかる大切な検査なのだ、ということを一生懸命説明して、採血させてもらいました。

この血を調べたところ、コレステロール値も低いのです。血圧が低く、しかも、コレステ

マサイ族の青年と記念撮影。ポラロイドカメラで写真に慣れてもらった。

ロール値が低いとなれば、動脈硬化や高血圧になりにくいはずです。そこでぜひもっと詳しく調べたいと思い、翌年再びマサイ族の調査に訪れることにしました。

最高額の生命保険をかけ、決死の思いでマサイ族の村に乗り込む

一九八九年七月、私たちはマサイ族の再調査を行うことになりました。しかし、いよいよ明日は調査に出発、という段になって、マサイ語を話す通訳が行きたくない、と言いだしたのです。

この調査の通訳はとても複雑です。まず、私たちが英語で話すことを、最初の通訳がスワヒリ語に直します。この通訳

を担当したのが、以前私たちの大学に留学していた人で、タンザニアで唯一の医科大学、ムヒンビリー大学の教授になっていた人でした。そのスワヒリ語を彼の友人がマサイ語に訳して、ようやく話が通じるという具合です。

さて、そのマサイ語担当の人が行きたくないと言いだしたのです。通訳がいなければ、とても調査はできません。一年前の調査のときはずいぶん力になってくれたので、今回も当然協力してもらえると思ったのに、大変なことになってしまいました。

この通訳が協力を渋っているのは、前の年の採血が原因のようでした。採血はマサイ族が一番嫌がることで、事実、調査のあとでずいぶん文句をいっていた人もいたのだそうです。通訳は、マサイ族の戦士にいつ槍を投げつけられるかもしれないといって、おびえていました。

しかも、悪いことに、マサイ族の間では敵討《かたきう》ちが正当化されているのです。調査のあとに何かの原因で、たまたま具合が悪くなった人がいたら、悪い日本人に血を採られたからだ、ということになりかねません。マサイ族は写真を撮られることも嫌いますが、無断で写真を撮った白人が槍でぐさりと刺された、という噂話も聞いてしまいました。写真を撮ったぐらいで刺されてしまうのですから、血を採ったりしたら、それこそ槍が飛んできても当然です。

しかし、ここまで来て、調査をしないで帰るわけにはいきません。そこで日本に国際電話をかけて、一人あたり七五〇〇万円の最高額の生命保険に入ることにしました。最高額のものは三億円くらいかなと思ったのですが、ちょうどロス疑惑のあとで、保険の上限が決められてしまっていたのです。このときは七人で調査に行っていたので、もし誰か一人が槍に当たっていたら、すごいお金が入ったかもしれません。しかし、実際のところは本当に怖くて怖くて、決死の思いで村に乗り込んだのでした。

村長の一声で村民全員の検診をすることに

アフリカの小さな村では、村長が重要な役割を果たしています。そこで、まず村長に会って前の年のデータを見てもらい、結果を説明しました。それまでに調べた地域の血圧と一日の食塩摂取量を、低い順に上から並べたグラフを作って持っていきました。このグラフでは、マサイ族は、血圧も食塩摂取量も世界一低いので、一番上にきています。グラフを見せながら、私は村長に「マサイ・ピープルズ・アー・ナンバーワン・イン・ザ・ワールド」、マサイが世界一だ、と言いました。血圧も食塩摂取量も世界一低い、だからマサイ族は世界で一番健康な人たちなんだ、ということを一生懸命力説したのです。

それがスワヒリ語からマサイ語に通訳されると、村長もわかってくれたらしく、ニッコリほほえんでくれました。そして、検診がそんなにいいことなら、全員の分を測ってほしい、というのです。

全員というと、赤ちゃんから老人まで全部の人を測らなくてはなりません。これには正直いって困りました。赤ちゃんの血圧などは、腕では測れないので、ふとももにマンシェット（圧迫帯）を巻いて測ります。しかし、この方法では、あまり正確には測れませんし、それに、そんなことをしてもほとんど意味がありません。それでもマサイ族がそばで槍を持って見ているので、一生懸命測らせてもらいました。

このときの検診では体力も測定させてもらうつもりだったので、トレッドミル（ルームランナー型の体力測定器）を持ち込んでいました。体力がある人は運動負荷をかけても、心拍数が上がりません。マサイ族は砂漠や草原を走りまわっている人たちです。多少走ったぐらいで心臓がどきどきするようなことはないはずだと思いきや、トレッドミルにのってもらったとたんに、どの人もみんな心拍数が上がってしまうのです。どうもこういった機械になじみがないらしく、乗っただけでどきどきしてしまう、ということのようでした。結局この検診では、体力のデータを採ることはできませんでした。

牛の糞でできた家と蠅の扇風機

こうした検診を通じてマサイ族の人たちとはずいぶん親しくなり、家に招待してもらえる

マサイ族の検診風景。はなやかな彩りの服やアクセサリーで着飾って来場。

ことになりました。

彼らの家はボーマという窓のないトーチカのような家です。マサイ族は牛を飼って暮らしており、その牛の囲いの周りにいくつかのボーマが建っています。このボーマは女性と、その子供のためのもので、男性は家をもちません。家族制度は一夫多妻制で、男性一人に四人から一〇人ぐらいの奥さんがいます。奥さんの数は、男性がもっている牛の数で決まります。牛が結納金《ゆいのうきん》になるので、牛の数と奥さんの数が比例するというわけです。

そして、このマサイ族の結婚の儀式がまたユニークなのです。まず男性が槍を持って垂直ジャンプをします。そして、一番高く跳べた人から、お嫁さんを選んでいきます。高く跳ぶには、もともと身長の高い人、そして筋力や瞬発力がある人のほうが有利です。お嫁さんのほうは、胸をあらわにして踊りながら、選ばれるのを待っています。そうすると、やはり胸の立派な女性が選ばれます。こうして筋力、瞬発力《しゅんぱつりょく》がある男性と、体格のいい女性のカップルができあがるのです。

このカップルから生まれる子供は、きっと体力がある、強い子供でしょう。高く跳べない男性は、結婚もできません。私などは背も低くて平均的な日本人の体力しかありませんから、マサイ族に生まれなくてよかったと、心から思ったものでした。

こうして結婚した奥さんが住むボーマは、小さな木の枝を地面に立て、その上に泥を塗って作ったものです。泥は、牛を集める囲いの中から拾ってきた、牛糞の混ざったものを使います。砂漠の中では大きな木も育たず、ほかに材料がないので、こういった身近なもので作っているのでしょう。

ボーマを作るのは、女性の仕事です。男性には牛の番という大事な仕事がありますが、そのほかの仕事は全部女性の仕事です。

このボーマに実際に入ってみましたが、真っ暗でひんやりしています。ボーマには窓はありませんが、天井には明かりを採る小さな穴が開いています。しかし、あまりの蝿の多さで明かりがさえぎられ中が真っ暗になっていたのでした。なにしろ牛の糞でできている家で

牛の糞と泥でできたマサイ族の家、ボーマ。

す。その蠅の多さたるや筆舌につくしがたいものでした。

　ボーマに入ると、私たちにも蠅がいっせいにたかってきます。最初はいちいちそれを払っていましたが、あまりに蠅が多くてめんどうになってしまいました。そうしていると、とたんに涼しくて、気持ちがよくなったのです。蠅が顔のまわりを舞っていると、羽が扇風機のような働きをするのでしょう。だからマサイ族の人たちは蠅がたかっていても苦にしないのだな、と思いました。

　マサイ族の人たちに蠅がたかるのは、もう一つ理由があります。マサイ族は三つ編みのように髪の毛を編んでいて、その髪にジューゴという羊の脂を塗るのですが、これがとても臭いのです。その匂いに蠅が群らがってくるというわけです。なぜそんな臭いものを髪に塗っているのかというと、ライオンをよけるためだということでした。あまりに臭いので、ライオンもよけてしまう、ということなのでしょう。このような厳しい環境で、自然と適応してたくましく生きているのだな、と感心しました。

一日中砂漠や草原を駆けめぐる人々の一日一回の食事

調査では一日の食事のサンプルを集めて大型のミキサーにかけ、それを冷凍して日本に持ち帰って分析しています。ほとんどの地域では一日三食ですから、食事サンプルも三回集めなければなりませんが、マサイ族の場合はその点では簡単でした。マサイ族だけでなく、アフリカの人々は一般に一日に一回しか食事を摂らないからです。

マサイ族の人たちは、朝の四時ごろに起きてすぐ出かけ、一日中砂漠や草原を牛を追って駆けまわり、午後三～四時ごろに家に戻り、それから食事を摂ります。食事は日が沈むまで、たっぷりと時間をかけて摂りますが、もちろん、電気もかよっていないところが多いので、暗くなる前に食べてしまうのです。

これは、昔、人間の活動エネルギー源であるカロリーが少ししか摂れなかったころには、非常に合理的な食べ方でした。少ないカロリーの食事を三回にも分けて食べると、その度に熱となって発散してしまい、身体に蓄積されません。一度にたくさん食べたほうが、より有効にカロリーを使うことができるのです。

都会のダレスサラームでも、同じように一日一食しか食べません。しかし、都会では油を大量に使ったカロリーの高い料理をたっぷり食べることができます。このように高カロリーのものを一度にたくさん食べるのは、日本のお相撲さんと同じ食べ方です。おもしろいことにダレスサラームでは、あんこ型のお相撲さんのような太り方をした人がたくさんいました。

こういった一度にたくさん食べる食べ方は、身体を大きく作るのには効果的ですが、成人型の糖尿病（インシュリン非依存型《ひいぞんがた》糖尿病）になりやすくなる食べ方の典型です。つまり、ダレスサラームの人たちは、もっとも身体に悪い食べ方をしているのです。

マサイ族の人々がひょうたんで作るヨーグルトの力

マサイ族は砂漠のような、周囲にかろうじてわずかな草が生えている程度のところで暮らしています。そのわずかな草を牛に食べさせて、牛をフルに活用します。

牛の乳をしぼるのは女性の仕事です。そのミルクを一日に三リットルから一〇リットルぐらい飲み、大量のたんぱく質を摂っているのです。

ミルクは、キブユというひょうたんに入れて持ち歩きます。日本に帰るときに村長から、このひょうたんをおみやげにいただきました。表面にビーズが埋め込まれた、とてもきれいなものなのですが、蓋をあけるとものすごく臭い匂いがするのです。どこかでかいだことのある匂いだな、と考えてみたところ、どうもパルメザン・チーズに似た匂いだということに思い当たりました。

そこで日本に持ち帰ったひょうたんにミルクを入れて、マサイ族が砂漠の中で持ち歩くように、気温三七度の中でよく振ってみました。すると予想どおり、中のミルクが発酵して、ヨーグルトができたのです。つまりマサイ族は、ミルクというよりはヨーグルトを飲んでいたわけです。コーカサスでもそうでしたが、ヨーグルトのような発酵乳は免疫力《めんえきりょく》を強くする働きがあります。あれほど蠅が飛んでいるところに住んでいても、マサイ族の人々が健康な生活を送ることができるのは、このヨーグルトのおかげなのでしょう。

このミルクだけでは、食物繊維が足りません。そこで彼らは物々交換でウガリを手に入れて、ミルクに入れてオートミール状にしたものを食べています。

また、ミルクにはビタミンCが含まれておらず、周囲は砂漠なので、野菜や果物でビタミンを摂ることもできません。そこでどうやってビタミン類を摂っているのかというと、牛の生き血を牛乳に入れて飲むのです。小型の弓で牛の首めがけて矢を射って、その矢を引き抜いて吹き出た血をひょうたんに受けるのです。事実こうしてミルクに血を混ぜて飲めば、新

キブユからミルクを飲むマサイ族（写真提供・岩波映画製作所）。

鮮なビタミンが補給できますし、鉄分も摂ることができます。女性はとくに鉄分が不足しがちですから、貧血にならないためにも、牛の血から鉄分を補給するのは大切なことなのです。

それにしても、毎日一〇リットルもミルクを飲んでいると、身体に入ってくる脂肪は一〇〇〇ミリグラム以上にもなり、コレステロール値は高くなるはずです。アメリカの医学の常識では、一日三〇〇ミリグラム以上脂肪を摂り続けると、だんだん血中のコレステロール値は上がることになっています。ところが、不思議なことに、マサイ族は毎日一〇〇〇ミリグラム以上摂っていても、コレステロール値はとても低いのです。

マサイ族は塩を摂る食文化の防波堤

ミルクを多く飲んでもコレステロール値が低いのは、マサイ族が塩をまったく摂っていないからです。近くの湖の岸辺には、湖の塩分が濃縮してできた良質な塩があるのに、マサイ族はそれすらも使いません。ミルクと、牛の血に含まれる塩分しか摂っていないので、食塩の摂取量は世界一少ないのです。塩分が少なければ、脂肪を静脈にまで運ぶリンパ液も増やしません。これならコレステロール値が高くならないわけです。

おもしろいことに、アフリカでは海岸部では比較的食塩の摂取量が多く、奥地へ行くとその量が少なくなっていく傾向があります。私は、こうした事実関係から、おそらくマサイ族に限らず昔はアフリカの人々には塩を摂る習慣がまったくなかったのではないか。そして、アフリカに塩を持ち込んだのは、あとからやってきた伝統的に食塩を大量に摂る習慣のあるアラブ人ではないかと推測しています。

アラブ人は鉄砲を武器に、海岸から内陸部へ向かってどんどん進攻していきました。これに対し、誇り高いマサイ族は、槍をもって徹底抗戦し、一度としてその支配下に置かれることはなかったのです。そのため、マサイ族には塩を食べる習慣が定着しなかったのではないかと考えています。

実際、マサイ族が住んでいる地域から海岸に近いところの人たちは、食塩を食べる習慣が根づいてしまっていますが、マサイ族の住んでいるところから奥地にいる人は、今でも食塩をもっていません。マサイ族は塩を摂る食文化の防波堤になったのです。

ハンデニーの人々と同じく、マサイ族も毎日肉を食べているわけではありません。牛はミルクを採ったり、仔牛を生ませるための貴重な資本であり、めったに食べないのです。そのかわり、たまに食べるときはみんな集まって一緒に食べます。肉を食べること自体がお祭りなのです。

牛の糞が混ざった泥を薬として使うマサイ族の知恵

マサイ族の長老にもなると一〇〇歳を超える人がいます。しかし、これは自己申告なので定かな年齢ではありません。四季がはっきりしている日本に比べて、一年の区切りがないタンザニアのようなところでは、年齢などどうでもいいという気持ちになるのでしょう。

また、このような長寿の人がかなりいる一方、子供の死亡率は高く、全員が長生きできるわけではないようです。

このような厳しい環境で生き延び、長生きするにはやはりいろいろな知恵が必要です。

ある日、検診をしていると、お尻の皮が全部むけてしまうぐらいの擦り傷を負った人がやってきました。「これは大変だ、抗生物質を塗ってあげよう」と言ったところ、いらないといわれました。どうするのかたずねたところ、ボーマを作るときに使う牛の糞が混ざった泥を傷口に塗るのだというのです。よく聞いてみると、赤ちゃんが生まれたときに切る臍の緒の跡や、耳飾りをするための穴にも、泥を塗るのだとのこと。

これはおそらく、土の中のカビに含まれる抗生物質を利用しているのでしょう。現に今私たちが使用している抗生物質のほとんどは、土の中のカビから作られています。もちろん彼らは、抗生物質というものやその働きなどを意識しているわけではありません。長い間の暮らしの中で、自然と身についた生きるための知恵なのです。ビタミンや鉄分を摂るために、牛の生き血を飲んだり、ミルクをひょうたんに入れて発酵させたりするのも、彼らの不思議な知恵です。

このような、一見原始的に見えることが、私たちが最先端だと思っている医学や科学の理屈から見ても間違っていないことを知って、驚嘆しました。長寿の人が多い地域では、その場所にあった健康の秘訣や知恵があるものです。

このように食べ物にしても薬にしても、マサイ族はその土地で得られるものを大切にして、上手に利用しています。何か非常に珍しい、あるいは高価な長寿の秘薬というものがあるわけではないのです。その土地で日常的に採れるものをいい形で利用して、それが長寿のもとになっていることが理想です。マサイ族の暮らしは、厳しい環境の中で精一杯いいものをいい形で組み合わせた、風土にあった理想の生活なのです。

塩分に弱い身体をもっているアフリカの人々

それにしても、大都会のダレスサラームであまりに高血圧が多いのが、気になりました。たしかにダレスサラームでは、西欧化されたパンやバターをたくさん摂る食事をしているために、マサイ族の人々よりは食塩の摂取量は多くなっています。しかし、実際に調べてみると、ダレスサラームの人も、一日に五グラムから七グラムしか食塩を摂っていないことがわかりました。

日本では、もっとも食塩の摂取量が少ない沖縄県の人でも、一日に八グラム程度摂っています。それなのに、ダレスサラームでは日本の倍ぐらいの割合で、高血圧の人がいるのです。しかも、ブラジルの白人などは、ダレスサラームの人の倍ぐらいの量の食塩を食べているのに、血圧が低いぐらいなのです。これでは理屈にあいません。

これらの事実から、私たちは同じ量の塩を摂っていても、民族によって反応が違うのではないか、という仮説をたててみました。そこで倫理委員会の許可を得たうえで、ダレスサラームの黒人と、日本人、ブラジルの白人とで、塩に対する反応を実験させてもらうことにしました。

最初の一週間はまず、一日三グラムしか食塩が入らない減塩食を食べてもらいます。そして、その次の週は、日本人には一日二五グラム、ダレスサラームとブラジルの人には二一グラムの食塩が入った高塩食を摂ってもらうことにしました。

実はこの実験は一度失敗してしまいました。二週目に高塩食を食べたあとでも、どのグループも血圧が上がらないのです。そして、尿を集めても、その中の食塩の量は増えていません。

このときは、同じ条件で摂取する塩分の量だけを増やしてもらうために、水に溶かせば飲める粉末スープを飲んでもらうことになっていました。ところが、アフリカの人々は、そのスープがおいしすぎたので、家族や友人にあげてしまっていたのです。これでは尿中の食塩の量も少ないはずです。

そこで食事実験をするときには、研究に協力してくれている現地の大学の学生と一緒に食事を摂ってもらい、ちゃんとスープを飲んでもらいました。今度はうまくいきました。高塩食にすると、日本人も、ブラジルの白人も血圧は上がらないのに、アフリカの黒人だけが血圧が上がるのです。

この実験で、同じ量の食塩を摂っていても血圧に対する影響が違うのは、遺伝的なものが原因なのだろう、という結論が出ました。アフリカの人々は、二〇世紀になるまで長い間塩を摂る習慣がありませんでした。それで、塩に対して敏感に反応する身体になっていたのです。それに対して、日本も、ブラジルのある南米も、伝統的に塩辛いものが好きな食文化をもっている国々です。ふだんから塩分を摂っている人たちは、多少余分に塩を摂っても、すぐに血圧が上がるということはありません。しかし、アフリカの黒人はほんの少し塩を多めに摂っただけで、血圧が上がってしまいました。

この感受性の問題と遺伝の関係は、動物実験でも確かめられています。

こういったことを分析するのは大変なことですが、遺伝子や人種によって食塩が血圧に与える影響に差があるというデータは、予防医学にとって非常に大切なものです。血圧の病気には食事だけでなく遺伝的要素も関係がある、ということになれば、その遺伝子を見つけて、予防することができるからです。食塩に対する感受性が強い人がいれば、集中的に減塩をすることで、高血圧になるのを未然に防ぐことができます。

さて、タンザニアの都会の人々が、西欧化された食事に変わってきたのに対して、マサイ族はその地域の伝統的な食事を守っています。昔ながらのいい食生活を守り続けることが長寿の秘訣である、ということが、こんなことからも証明されることになりました。

■マサイ族の元気の秘訣

●世界一塩分の摂取量が少ない。

●良質のたんぱく質であるミルクを大量に飲み、高血圧を防ぐカルシウム、カリウムも十分に摂っている。

●ミルクは発酵させて飲み、ミルクにはない食物繊維は穀類(ウガリ)を混ぜ、また鉄分やビタミンを牛の生き血を混ぜて補給している。

●過酷な環境でも、土中の抗生物質を利用するなど、自然に適応して生活している。

アンデス山中の長寿村ビルカバンバ

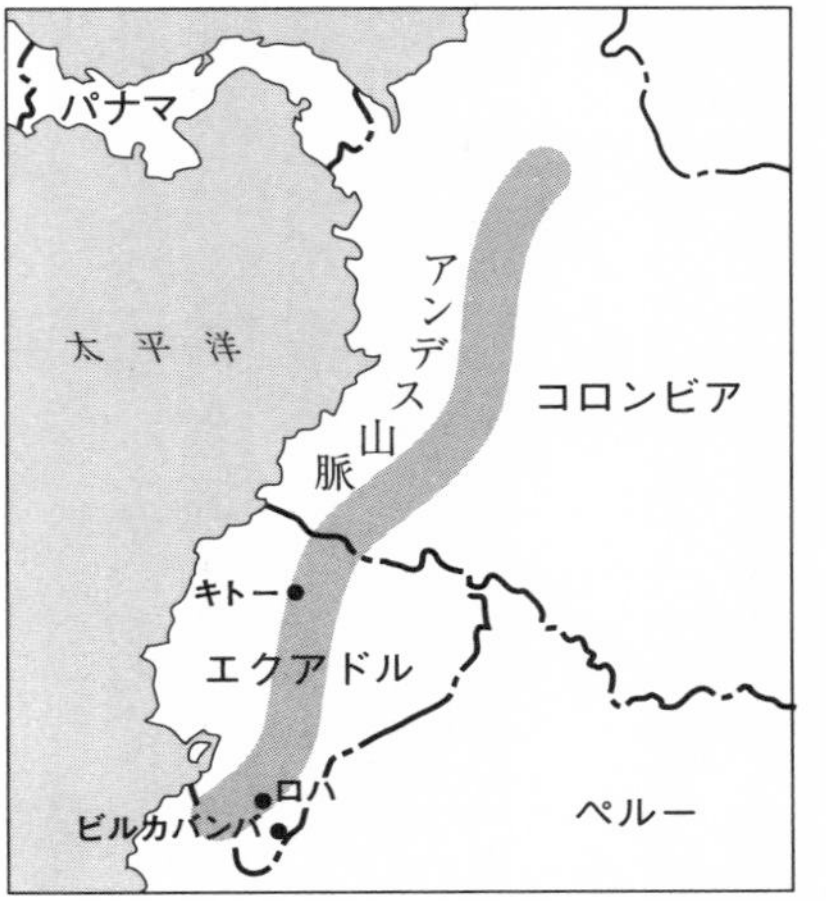

南米ではあらゆる人種と出会える

南米の国エクアドル共和国のビルカバンバも、コーカサスと並ぶ長寿の村として有名なところです。このアンデス山脈の中の静かな村であるビルカバンバにはどんな秘密があるのか、私たちは以前から興味をもっていました。

私たちがこのプロジェクトを始めたおり、近年、都会を中心に心筋梗塞《しんきんこうそく》が増えているとのことで、事態を懸念したエクアドル政府が、WHOを通じて私たちに調査を依頼してきたのです。私たちはもちろん、二つ返事でさっそく検診をすることにしました。エクアドルの首都キトーへ向かったのは、一九八六年の六月のことです。

エクアドルは南米大陸の北西に位置しており、日本よりやや狭い国土に、九五〇万人が住んでいます。緯度からいうと赤道直下にあたりますが、国の大半が高い山の中にあり、首都キトーも標高二八〇〇メートルの高地にあるため、気候は涼しいほどです。多少空気が乾燥していることをのぞけば、風がさわやかな、実に気持ちのいいところです。私たちが訪れた六月は乾季だったので、雲はいつもキトーよりも下にあるため、いつも晴れていて、雨は降りませんでした。

キトーは、かつてインカ帝国の北の中心地として栄え、今でもおおぜいの人々が行き交う、にぎやかな町です。インディオやメスチソ（原住民と移住してきた白人との混血の人たち）、白人、黒人、アジア人など、あらゆる人種に出会います。いつも車と人がひしめきあっていて、旅行者である私たちも、いやおうなくその喧噪《けんそう》に巻き込まれてしまいました。旅行者といっても誰も特別扱いしてくれませんし、私たちが外国人だとわかっているのに、平気で道をたずねてきたりするのです。

南米は以前、スペインやポルトガルの統治下にあった国が多いため、シエスタ（昼寝）の習慣が残っているところも多く、今でも人々は午後になると昼寝のために職場から自宅に戻

つぼを抱えて歩くインディオの女性。

ります。シエスタが終わるとまた、職場に行くため、一日四度の通勤ラッシュが起こります。

キトーでは厚生大臣にお会いして、機材の輸送など、いろいろと協力していただくことになりました。

めざす目的地、ビルカバンバはアンデス山脈の奥、山を下ればアマゾンというところにある村です。

キトーから飛行機でエクアドル南部の都市、ロハに向かい、さらにそこから車で山道を三時間走ってようやく、ビルカバンバにたどりつきます。周りの山々は木がほとんどないのにビルカバンバの盆地には目にしみる緑があふれていました。

地球の裏側で同じチーズを食べている不思議

このビルカバンバには、もう一つの世界的に有名な長寿の里、コーカサスと共通することがたくさんありました。

まず一つは、コーカサスも比較的温暖な気候でしたが、ここも年中温暖な過ごしやすい気候に恵まれているということです。標高は一五〇〇メートルでそれほど空気が薄いわけでもなく、赤道直下にあるところですが、気温は一八度から二四度と一年中一定しています。しかも、昼間と夜の気温の差が小さいので、かぜをひくこともないでしょう。静かなところなので、ストレスもたまらないでしょう。

ビルカバンバとコーカサスのもう一つの共通点は、一年をとおして果物や野菜が豊富に採れること。「ビルカバンバ」は、「聖なる谷」という意味で、周辺はほとんど裸になった山が多いのに、この谷間だけは緑が生い茂っているのです。村中にも野菜・果物が豊富にあって、いろいろな種類のものがたっぷり食べられます。宿泊したホテルの朝食でも毎朝フレッシュジュースが出され、デザートにもイチジク煮の黒蜜がけなど、果物が山盛りにされた大皿が出てきました。

また、ミルクがいつでも手に入るのも、身体のためになっています。ミルクからは良質の

市場はさまざまな野菜や果物が山積みになっている。

たんぱく質やカルシウムが摂れるので、高血圧を防ぐことができるのです。驚いたのは、ビルカバンバとコーカサスとでは、地球の反対側といっていいほど離れているにもかかわらず、同じようなチーズを作って食べていること。現地でケソと呼ばれているこのチーズは、四〇度ぐらいにあたためた牛乳に牛の十二指腸からとったエキスを入れて作ります。ミルクに胆汁《たんじゅう》が入った緑がかったエキスを混ぜて一時間も置くと、ミルクの中のたんぱく質が固まって、豆腐のようなあっさりした味のフレッシュなチーズができあがります。

このケソは、お店ではバナナの葉に包んで売られており、日本の味噌のようにスープに入れたり、炒め物の味付けやサラダに使ったりと、いろいろな料理に入れられます。たんぱく質のほかにカルシウムまで入っていて、脳卒中ラットも長生きするような栄養バランスにすぐれた食品です。

モルモットをフライにして丸ごと食べる

主食も、コーカサスと同じくとうもろこしです。もともとうもろこしはアンデスの原産であり、昔から南米の人たちにはなじみの深い食べ物だったのでしょう。そのほかに、ユッカというういもも主食として食べています。

とうもろこしやユッカにはいずれも、カリウムと食物繊維が多量に含まれています。このカリウム、食物繊維には塩の害を打ち消してくれる働きがあります。

さらに、ビルカバンバの人たちは、アンデスの自然の恵みであるあわやひえのような野生の植物もたくさん食べています。これらの野生の植物中にはたんぱく質がかなり含まれています。中でもチョチョスという豆は、たんぱく質とカルシウムのかたまりのようなもの。エクアドルのあとに予備調査をしたペルーでも、こういった野生の植物から上手にたんぱく質やカルシウムを摂っていました。ペルーの人が、標高四〇〇〇メートルのところに住んでいても血圧が高くならず脳卒中《のうそっちゅう》が少ないのは、こういったたんぱく質、カルシウムを含んだ食

豆類、穀類も豊富なビルカバンバ。矢印の豆がチョチョス豆。

べ物のおかげなのでしょう。

ここでは家畜は貴重品であり、大切なたんぱく源である肉はそれほど大量に食べられるわけではありません。そこで、広く信仰されているカトリックの教えに従って、週末に牛や豚、羊など、動物を殺すことにしています。肉を保存できないこともあり、こうして殺す日をあらかじめ決めておき、村中みんなで分け合って食べています。

おもしろいのは、たんぱく源の一つとして、クエというモルモットの一種を台所でペットのようにたくさん飼っていること。来客があったり、今日はごちそう、ということになると、丸ごとゆでて、毛を抜いたものをフライにして食べます。

現地の人たちが食べるのを見ていると、みんな丸ごと食べています。検診の際に手伝ってくれた敬虔《けいけん》なカトリックのシスターも、クエの脳味噌からしっぽまで残らず食べてしまうのでした。

シスターがクエを頭からばりばり食べてしまうのには驚きましたが、実はこの食べ方はとても理にかなった食べ方なのです。それは肝臓や心臓、腎臓などの内臓には、血圧を下げる働きのあるタウリンがたくさん含まれているからです。クエに限らず、エクアドルでは動物を料理するときは、内臓までいろいろな調理をして徹底的に利用していますが、これは非常に理にかなったものなのです。もっともクエは、本当にネズミの格好で出てくるので、日ごろネズミの解剖をしている私たちは、申し訳ないとは思いましたが、あまり食べる気にはなれませんでした。

検診の結果、八〇人のうち高血圧の人はたった二人

ビルカバンバでの検診は、「コーキチ・オータニ病院」という、日本人が建てた病院で行いました。

検診会場までは、人によってはほかに交通手段がないので、山道を片道三時間、往復六時間かかって歩いてきます。私たちにしてみれば、考えただけで気が遠くなる話ですが、現地

の人たちはみんななんの苦もなくやってきます。まずその体力に感心してしまいました。

検診のときは、いつものように血圧を測り、採血をしました。現地の人は採血を不安に思うことが多いので、調査に協力してくれたエクアドルのデル・ポゾ博士が実際に、検診参加者の目の前で私たちの血を採り、心配のないことを説明してくれました。その後の検診も、地元での人望が厚いカトリックのシスターが手伝ってくれたので、スムーズに運ぶことができました。

結果はというと、五〇歳から五四歳の人八〇人のうち、高血圧と診断されたのはたったの二人。日本なら一〇〜二〇人いてもおかしくないところです。

運動量を測定するため、一〇人の人に二四時間心拍計をつけてもらったところ、お年寄りも実によく運動していることがわかりました。また、トレッドミル（ルームランナー型の体力測定器）で運動してもらって心電図をとっても、心拍数がそれほど上がりません。日ごろから運動しているせいか、若者のように元気なのです。

このように血圧が低いのは、いい食事を摂っていること、運動していることのほかに、気圧の影響も考えられます。標高一五〇〇メートルの現地では、気圧は〇・八気圧しかなく、この低い気圧が、軽い血管拡張剤の役目を果たしているのかもしれません。

いずれにせよ、ビルカバンバは長寿の里であるという噂が、検診の結果からも真実だと証明されることになりました。

西欧化された暮らしをしている人に高血圧が多い

ところが、有名になったおかげで、よくない結果を生むことになってしまったのです。私たちはビルカバンバで二回調査をしましたが、二回目に検診したときは、一回目よりも血圧の高い人が増えていました。

これは、ビルカバンバにくれば心臓死が少なくなる、という噂を聞いて、都市のロハからお金持ちが大挙《たいきょ》してやってきたからなのです。彼らがやってくるのに便利なようにロハからビルカバンバまでの道路が舗装され、別荘も作られました。彼らはビルカバンバに、西欧化された都会の金持ちの食生活を持ち込みます。

このような現地のいわゆるメスチソの生活様式とは違う、西欧化された暮らしをしている人に高血圧が多いのです。私たちは慣れてくると、血圧を測る前に高血圧の人がわかるようになりました。都会から来た人は、現地の人と服装が違うからです。とくに着飾って、香水の匂いがするような女性は、血圧が高いことがよくありました。

ビルカバンバまで車に乗ってやってきて、香水をつけているような人は裕福な階級の人です。経済的に豊かになった人たちは、昔ながらの食生活を捨ててしまい、西欧化された食事

キナラでの検診にきた「喫煙歴100年」のお年寄り。

を摂ることができるようになりました。しかし、西欧スタイルの食事は、エクアドルの伝統的な食事に比べると、どうしても脂肪分や塩分が多くなりがちです。生活が豊かになるのはいいのですが、食生活の変化は、血圧つまり健康には決していいことではないのです。

　ビルカバンバでの検診のあとは、さらに車で四〇分ほどかかるキナラという地区で検診しました。ここではインディオが検診に協力してくれて、一一八歳のご老人が検診に見えたときには、感激しました。このご老人、いざ検診する段になって、問診票《もんしんひょう》の「喫煙歴」のところに「一〇〇年」と書かれたのには驚きました。もっともタバコは高いので、一日に吸うのは三本だけ、と言っていました。

私たちは検診先で食事をごちそうになることがよくあります。このときは、さとうきびでできたトロピコという酒が出てきました。しかし、トロピコは、消毒用アルコールのかわりになるぐらい強い酒でした。私たちは世界各地で強い酒を飲んできましたが、あまりの強さに、本当にダウンしてしまいました。

この土地で気になったのは、最近交通網が整備されて、こんな山奥にも大都会の生活様式が入り込んでいることです。気をつけていないと、ビルカバンバのように食べ物が変わり、血圧が上がってしまうのではないかと心配になりました。

その土地の食べ物や調理法を大切にすることが長寿の秘訣

エクアドルでは、大都会のキトーでも調査を行いました。ここでは五〇歳から五四歳までの一〇五人を検診しましたが、高血圧の人は一六人でした。調査した人数が少ないので、はっきりとした結論は出せませんが、高血圧の人がビルカバンバより多く、日本よりは少ないようでした。

ここでは、日本大使の西宮夫妻が検診に参加され、その模様がＴＶで放送されました。そのときに、「野口英世が黄熱病《おうねつびょう》を撲滅《ぼくめつ》して以来の、エクアドルに対する日本の貢献《こうけん》である」

とコメントされているのを聞き、感動を覚えました。

感謝された一方で、残念なことがありました。海岸部の漁村を調査したときに目にした光景ですが、日本からのＯＤＡ（政府開発援助）で贈られた大きな船が、港につながれたままになっているのです。船を贈っただけで、操縦や管理の教育はしなかったので、動かせる人がいないのだそうです。今では一年に一回、大統領が来たときに遊覧船として使うだけ、とのこと。

日本としては、船を贈れば日本の商社が儲かるからという具合で、日本の都合だけで、一方的に贈ったものなのでしょう。こういった筋違いの対外援助は、エクアドル以外にも世界各地で見られました。

援助をする場合には、このような一方的なものではなく、現地の状況をきちんと調査して人々の要望を聞き、相手の負担にならずに無理なく継続し、役立っていけるような援助をしていかなければいけないとつくづく思います。

調査が終わってから、エクアドルの厚生大臣に「伝統的な食生活をしている山奥に比べて、西欧風の暮らしをしている大都会では、高血圧が増えているようだ」という話をしたところ、「自分たちは間違っていたようだ」と言われました。エクアドルの人々は、西欧のパンとバターの生活に憧れ、豊かな生活に近づこうとしていたわけですが、実はそういった西欧風の食生活が高血圧の原因になっていたのです。むしろ、アンデスのもともとの食べ物であるとうもろこしとユッカという、一見貧しい食生活のほうが、血圧を上げない、健康的な暮らしだったのです。

何が健康にいい食べ物なのかということは、その土地によって違います。アンデスでは、チョチョスやケソのように昔から普通に食べられていたものが、身体に大切なものだったのです。その土地にはどんな食べ物や調理法があって、健康によいのかを見極めて、大切にすることが長寿のためには重要なのです。

■ビルカバンバの長寿の秘訣

●新鮮な野菜・果物や、牛乳、チーズ（ケソ）など、高血圧を防ぐ食べ物を摂っている。

●カリウム・食物繊維を豊富に含むとうもろこし、いも（ユッカ）を主食にしている。

●あわ、ひえ、チョチョス豆などで、良質のたんぱく質、カルシウムを摂っている。

●西欧化された脂肪分の多い食事を摂らず、食物繊維の多い伝統的な食事をしている。

歴史に裏打ちされた中国の食の秘密（広州、貴陽、客家）

「食は広州にあり」とまでうたわれた食材の宝庫

昔から「食在広州＝食は広州《こうしゅう》にあり」といわれてきた広州は、中国南部、香港から少し内陸に入ったところにある都市です。珠江《チューチャン》という川のデルタ地帯に発達し、一〇〇〇年以上の昔から中国の対外貿易の重要な拠点であったといいます。現在の人口は約七〇〇万人、高層ビルが建ち並び、人々が忙しく行き交う一大都市になっています。

この広州の最初の調査に向かったのは一九八五年のことです。

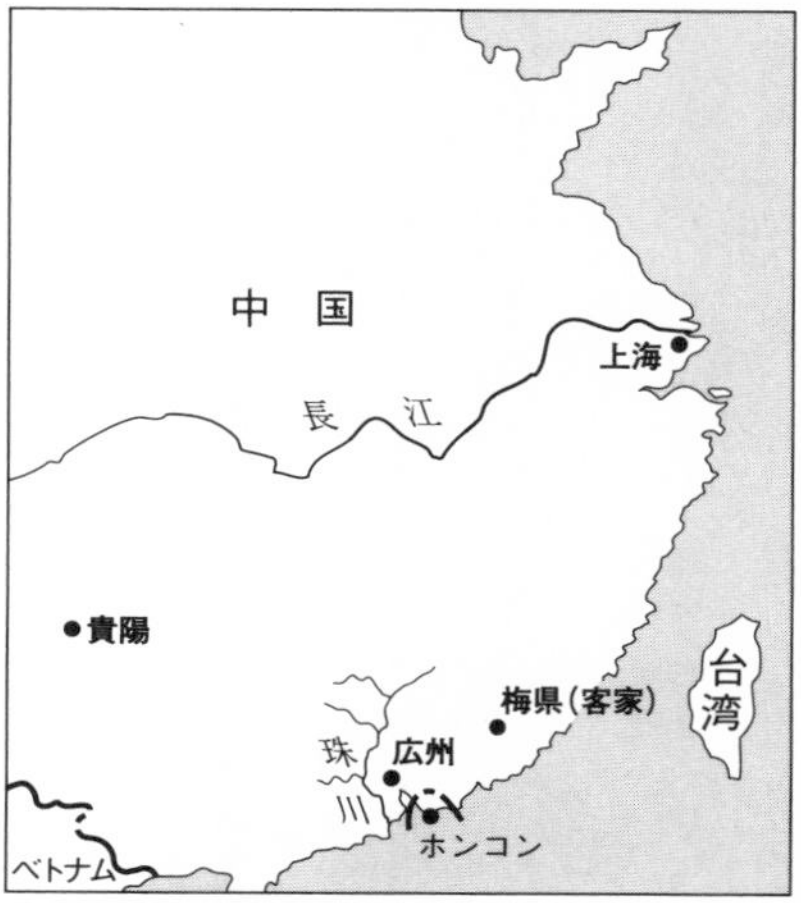

広州は緯度でいうと台湾とほぼ同じ。年間を通じた平均気温が約二二度という、暖かい気候に恵まれた土地です。

自由市場には、海の幸山の幸の、ありとあらゆるものが売られています。鶏などは生きたまま売られており、その鶏を下げて市場から帰る親子の姿も見かけました。

また、亜熱帯気候の土地にふさわしく、いろいろな種類の果物が山積みにされています。なすやズッキーニ（見かけも味もきゅうりに似たかぼちゃの一種）などの野菜も、近郊の農家からその日の朝に運ばれてきた新鮮なものばかりです。そして川や海が近いので、水産物も豊富で、らい魚、うなぎなどのほかに、たつのおとしごや亀、かえるなども売られていました。

私たちはある家庭におじゃまして、この豊かな食材がどのように料理されているのかを見せてもらいました。

その日のメニューは、鶏肉をしょうゆ、砂糖、ごま油、片栗粉、こしょうで下味を付けて、電子レンジで加熱したもの。それに、ズッキーニとふくろたけのスープと、豚肉と黄にらの炒めものです。

味付けは全体的に薄味で、炒めものには塩をほんの一つまみ入れるだけ。そのかわり香辛料を巧みに使って、新鮮な素材の持ち味を引き出しています。

広州のレストランで出される料理は海の幸、山の幸がいっぱい。

中国らしく、漢方の生薬《しょうやく》を食事に取り入れているのにも感心しました。胃腸を整えるウイキョウや、滋養強壮《じようきょうそう》に役立つゴイシなどがよく使われています。生薬が入った薬膳《やくぜん》料理というと特別なもののように思いますが、広州ではふだんの食事が薬膳料理なのです。

また、広州酒家という大きなレストランでも、厨房《ちゅうぼう》を見せてもらうことができました。ちょうど作っている料理が冬瓜《とうがん》の蒸しものでした。この料理は、大きな冬瓜をくり抜いて、中にかにやからす貝、ガチョウ、はすの実、ニッキなどをスープとともに入れ、蒸したものです。冬瓜は暑さをやわらげ、身体のほてりを鎮める働きがあるそうです。

このように広州の食事には、新鮮な肉、魚、野菜などがバランスよく取り入れられています。しかも、薄味で、塩をそれほどたくさんは使いません。実際に広州で検診してみたところ二四時間分の尿の中に食塩がたったの五・六グラムしか出ていませんでした。これはWHOの目標である一日六グラムよりも低い値です。

日本では、厚生省が一日一〇グラムを目標に減塩運動をした結果、一九八七年には食塩の摂取量を一日一一・七グラムまで減らすことに成功しましたが、それで油断したためか、最近また、塩分の摂取量が増えてきています。塩分を減らすということは、それぐらい難しいことなのです。

広州の人は、とくに減塩につとめているわけではありません。それなのに一日の塩分の摂取量がこんなに少ないというのは、大変素晴らしいことだと思います。

自然の恵みを十分に生かした農村の食生活

また、広州の郊外にある謝村《シェツン》という農村でも調査を行いました。

広州が大都会なのに対し、謝村は日本の田舎によく似た田園地帯です。人々は笠をかぶり、水牛を使って、田んぼで稲を栽培しています。海に近い河口に位置していて、川が枝分かれして何本も流れており、全部の川に橋があるわけではないので、渡し船などの水上交通が発達しています。私たちも村に行くまで渡し船などを乗り次ぎました。検診はここの保健所で行いましたが、検診にはみんな田んぼから裸足で出てきて、そのまま歩いてきます。私は非常に懐かしい、四、五〇年も前の日本の農村の風景を思い起こしました。そして素晴らしいと思ったのは、みんなスリムで、肥満の人など一人もいないということです。

ここでは、おじいさん、おばあさん、お父さん、お母さん、子供が一緒に住む典型的な農村の大家族の家におじゃましました。

農家には必ず、自家用の菜園があって、くこや里いも、なすなどを植えています。台所では昔ながらの、かまどが活躍していました。

昼食の支度はお母さんの仕事です。自家用菜園で摘んだくこの葉の薬膳スープ、豚の赤身を落花生の油で炒めたもの、卵とピータンの炒めもの、草魚《そうぎょ》（コイに似た巨大な魚）の蒸しものなどを作っていました。魚を蒸すときは、ご飯を炊いている鍋にのせて、ご飯と魚料理を一度に作ってしまいます。

夕食を作るのは、おじいさんとおばあさんです。昼の草魚の残りをから揚げにして、梅肉しょうがのたれをかけたものや、青菜と肉団子のスープ、鶏肉と黄にらともやしの炒めもの、しいたけと魚のすり身団子の蒸しもの、魚の浮袋と鶏肉と卵のスープ、と盛りだくさんのメニューでした。どれも獲れたての材料を、香辛料や漢方の材料を巧みに使って味付けしたもので、やはり塩分は控えめです。

私たちが訪れたのは春先でしたが、この時期の旬の食べ物は、田んぼで獲れるゲジゲジのような虫でした。大皿に山盛りになって出されたときには、ちょっとびっくりしました。もちろん蛇なども食べており、私たちにはちょっとなじみませんが、周囲に豊富にある良質のたんぱく質を含む食材を上手に利用しているということなのでしょう。

このたくさんの料理を、近所に住んでいるお父さんの兄弟の家族も一緒になって、みんなで食べます。一〇人ぐらいで、大きな丸いテーブルを囲んで、大皿に盛られた料理を、おのおの小皿に取って食べるのです。

「魚と野菜がたっぷり入った食事をみんなで食べ、野良仕事をするのが健康に一番だ」とおじいさん。バランスが取れた食生活が長寿の源であることを、この土地の人はよく知っているのです。

広州には「天医書《てんいしょ》」という、健康についての心構えが書かれた石碑《せきひ》があります。そこには、「薬で治らない病気も、自然が治してくれる」と書いてあります。この碑にあるとおり野菜・果物や、川や海の魚など、豊かな自然がはぐくんだ食材を食生活に十分活かすことが、一番いい薬なのです。

もちろん、このときのここ謝村での検診結果は、大変すぐれたものでした。

四年後、素朴な村の雰囲気は一変していた！

このように健康そのものといえる広州の暮らしだったのですが、四年後の一九八九年七月にもう一度この謝村に検診にうかがったところ、残念なことが起きていました。血圧の高い人が増えていたのです。

このときには、それまで橋がなかった川に橋がかけてあり、道も整備されていて、村まで車で行くことができました。

村に着いて、そのあまりの変貌《へんぼう》ぶりにびっくりしてしまいました。田んぼのそばに工場が建っているではありませんか。香港から安い労働力を求めて資本が流入し、その工場で電化製品を作っているのでした。共産党の幹部でもある村長にもお会いしたところ、その名刺の裏には村で作っている電化製品がいっぱい書いてある始末で、まるでセールスマンになったかのようでした。また、その夜、歓迎会を開いていただきましたが、着飾った女子共産党員の人がコンパニオンとして、会話や社交ダンスの相手をしてくれるという具合です。とにかく何もかもが、四年前の素朴な雰囲気とは一変してしまっていたのでした。

そして人々の暮らしも大きく変わっていました。検診会場に来るのにも、四年前は田んぼから裸足で出向いていたのに、このときは工場から靴を履いて、身ぎれいな服装でやってくるのです。

血圧を測ってみると、四年前は血圧の高い人は一人もいなかったのに、今度は血圧の高い人がずいぶん見つかりました。

さらに、尿中の塩分の量を測ってみて、これは大変なことになったと思いました。かつては少なかった塩分の一日の摂取量が、平均して八グラムにもなっているのです。これはWHOの目標値を二グラムも上回る数値です。そして反対にカルシウムやたんぱく質、タウリンなど、身体にいい成分の摂取量は減っていました。

これは、工場ができて、村の人々がそこで働くようになり、それまでそれぞれの自宅で食べていた昼食を、ほとんどの人が工場の食堂で摂るようになったからだと考えられます。工場の食堂の昼食メニューには、パンや饅頭《まんじゅう》のような既製の加工食品が多く見られました。これらの加工食品には保存料として塩がかなり入っているため、どうしても塩分の摂取量が多くなってしまうのです。

開放政策によって、中国の経済は豊かになり、生活物資も増えました。しかし、広州の場合は、経済発展が人々の健康にとって必ずしもいい影響を与えているとはいえません。自然の恵みを十分に生かした、何でも食べるいい食生活が急激に失われてしまっていたのです。

それにしても、たった四年での、この急変ぶりに驚愕《きょうがく》の思いをいだきました。

豆腐、納豆など日本の大豆料理のルーツは貴陽にある

中国には、何カ所か長寿地域として有名なところがありますが、その一つに貴陽《きよう》がありま す。貴陽は中国南部の雲南《うんなん》省にある山の中の町です。中国の調査では、ここも高血圧の人が少ないところとなっており、調査に行くことにしました。

ここは標高一〇〇〇メートルから一五〇〇メートルという高原です。貴陽へは飛行機で行ったのですが、貴陽上空にさしかかった途端に風景が違うことに気がつきました。桂林《けいりん》のように、中国の山水画に出てくる、岩がそそり立ったとがった山が続いている風景とはまったく対照的な、お椀で土をもったような丸くなだらかな山がポコポコと連なっています。山肌を見ると、石灰質の白い地層がいたるところに散在しています。土壌に含まれる石灰分が多いと、稲を作ることができないので、ここでは広州のように米を主食にしていないはずです。

予想は当たって、やはりここでは稲作がほとんど行われていないことがわかりました。そんな地質的な条件もあり、ここの主食はお米ではなく、とうもろこしと大豆でした。

とくに大豆の徹底的な利用ぶりには驚きました。豆を大量に栽培して、本当にお米のようにして食べているのです。豆腐はもちろん、厚揚げもありますし、豆のたんぱく質から作っ

たチーズのようなものから、乾燥させた保存食のような豆腐まで、ありとあらゆる種類の豆の加工品があるのです。

中国の人たちの朝食は、通勤途中に外の立ち食いの食堂で摂ることが多いのですが、ここ貴陽では、焼いた豆腐の厚揚げのようなものを、立ち食いしているのをよく見かけました。

このような光景を見ていると、豆腐は日本の伝統食のよう思われていますが、実はそれは思い込みにすぎず、中国大陸から伝えられた加工法であることがよくわかります。多分、貴陽が豆腐のルーツの一つなのではないでしょうか。

さらに驚いたのは、貴陽には豆腐だけでなく、納豆まであったことです。今まで納豆だけは、日本の発明だと信じられており、たとえば次のような伝説が残っています。

昔、都の軍が東北へ攻めるときに、炊いた豆をわらに入れて持っていったところ、腐ってしまって糸を引いていた。捨ててしまおうと思ったが、試しに食べてみたらおいしいということで保存食になった、という話です。しかし、この伝説はあとから捏造《ねつぞう》されたものでしょう。なぜなら、貴陽に納豆があったということは、日本が中国から納豆を学んだことを示しているからです。このように貴陽は、日本の大豆食品の源流《げんりゅう》ともいうべきところだったのでした。

貴陽の道端で売られている、豆のたんぱく質から作ったチーズ。

がんの転移を防ぐ大豆の秘密

大豆をたくさん食べる地域では、成人病が少なく、長生きをする人が多い、といわれていますが、最近、このことを裏付ける研究結果が数多く発表されています。

たとえば、大豆には、ダイゼイン、ゲニステインという成分が非常に多く含まれています。日本人の尿からは多量にこの成分が検出され、心筋梗塞《しんきんこうそく》が多いフィンランドの人と比べると、一〇倍以上にもなります。そして、この成分には女性ホルモンと同じような作用があり、成人病を予防している、ということが最近になってわかってきたのです。
日本人は胃がんで亡くなる人が多く、前立腺《ぜんりつせん》がんで亡くなる人はあまりいません。しかし、いろいろな病気で亡くなった人を病理解剖すると、かなりの人に前立腺がんが発見されます。そのような潜在性のがんの発症頻度《はっしょうひんど》はアメリカ人と同じぐらいなのです。ところが、アメリカや、そのほかの外国の人の前立腺がんは、肺などの臓器に転移して死因となることが多いのに対し、日本人の場合、がんが前立腺にとどまっていて転移することが少なく、それがもとで亡くなることは少ないのです。

これは、日本人が大量に摂っている大豆に含まれる、女性ホルモンと同じような働きをする成分の影響だと考えられています。女性ホルモンは、前立腺がんをほかの臓器に転移させないようにする働きがあるというわけです。

また、女性ホルモンは、骨粗鬆症《こつそしょうしょう》にも有効に働きます。女性が更年期になって、女性ホルモンが少なくなると、骨中のカルシウムがどんどん抜けていってしまい、骨がもろくなって、骨折しやすくなります。しかし、大豆を食べていれば、この大切な女性ホルモンを自然な形で補うことができるのです。

そのほかに私たちの脳卒中《のうそっちゅう》ラットによる研究でも、大豆は血管にいい影響があることがわかっています。普通の食事を与えられた脳卒中ラットの血管は、八カ月を経過したころにはボロボロになり、いつ破れてもおかしくない状態になります。しかし、大豆を与えられた脳卒中ラットの血管は、いつまでも弾力性があって、倍の長さに引っ張っても切れないほど強いままです。大豆を食べていれば血管をこんなに若いままに保てるのです。

さらに、コレステロールが関係した動脈硬化にも効果があるということがわかりました。大豆にはコレステロールによく似たシトステロールという物質が入っていますが、この物質がコレステロールの吸収を抑えてくれるのです。また、大豆のたんぱく質グロブリンにも、コレステロールの吸収を抑える働きがあります。

がんを抑え、骨粗鬆症を予防し、血管を丈夫にする上に、コレステロールの吸収を抑制してくれる大豆。貴陽の人々の健康はこの大豆によって支えられているといっても過言ではありません。そして、大豆をいろいろな形で食べる貴陽の料理は、長寿を実現させるための料理として、忘れてはならないものでしょう。

孫文、鄧小平、李登輝は客家の出身

「客家」と書いてハッカと読むこの民族は、もともと二〇〇〇年以上も前から、中国北部の華北地方に住んでいた漢民族の集団です。四、五世紀には華中の黄河流域に移り住んでいましたが、異民族の侵入などを避けて次第に南下し、華南《かなん》の広東《カントン》、福建《ふっけん》などに移住した人々のことをいいます。

私たちはこの客家の食事と遺伝的な要素に非常に興味を持ちました。いろいろなところに移り住んで、環境が変わっている客家を調べれば、環境の変化が食事や健康にどのような影響を与えているのかがわかると思ったからです。

「客家」とは表向きには「お客さん」という意味ですが、「よそもの」という差別的なニュアンスも含まれています。しかし、彼らは一致団結して山あいの荒れ地を切り開き、学校を建てたりして、集団としての自立をはかってきました。

こうして移動を続けてきた客家の人たちは、自分たちの文化を非常に大切にしています。とりわけ、「知識」はどこへ移っても他人に奪われない財産との認識が強く、教育には熱心です。そしてその知識を伝える文字をとても大切にしています。文字を神聖なものとし、字が書いてある紙は粗末に扱ったりせず、必ず惜字炉《せきじろ》というきれいな形の専用炉で燃やすといった具合です。

この教育熱心な客家は、中国建国の立役者を輩出《はいしゅつ》しています。中国の国父と呼ばれた孫文《そんぶん》や、開放政策で現代中国を大きく転換させた鄧小平《とうしょうへい》などは客家の出身です。また、国外に出て、華僑《かきょう》として活躍している人もたくさんおり、今の台湾の総統の李登輝《りとうき》も客家の出身なのです。

客家の大勢の家族が住む円楼と呼ばれる住宅。

いくつもの家族が一緒になって住む大きな住宅

私たちが調査をしたのは、広州から東へ四五〇キロメートルのところにある梅《メイ》県《シェン》という村で、ここの人たちは、主に農業で生計を立てていました。

家族を大切にして、集団で助けあって生きてきた客家は、住居も集団で住むことができるような造りになっています。一族郎党《いちぞくろうとう》が同じ空間に住むことができるように、個々の家族が独立して住む家を連結して作った、平屋建てから五階建ての大きな住宅です。丸い形のものや、四角い形のものがあり、とくに丸いものは「円楼《えんろう》」と呼び、造形的にも非常に美しく、建築家が世界各地から見学に訪れています。

こうして大家族で住み、家族を大切にする様子は、コーカサスやビルカバンバなど、ほかの長寿地域と共通する点です。また、もう一つの共通点は、先祖の霊を大切にすることでしょう。円楼の中に先祖の霊を祭る祭壇があり、毎月一度、祖先を敬うお祭りをしています。その祭りの日にはお供えを上げ、爆竹を鳴らして、一族全員が先祖に感謝のお祈りを捧げます。そして、あの世でも先祖の霊がお金を使えるようにと、紙銭《しせん》を燃やすなどの行事も行います。

また、この祭りの日には、山の中腹にある、大きな家のようなお墓に一族そろってお参りをするのが習わしです。このような行事を定期的に欠かさず行う意味は、先祖の供養はもちろんのことですが、一族の結束を固め、大家族で生活することのさまざまな障害を緩和させるという生活の知恵もかねているのかもしれません。

なぜ、客家の数の数え方は日本とそっくりなのか？

この調査をしているとき、驚くべきことを発見しました。検診のために、尿を集めるアリコートカップの使い方を説明していて、「ボタンを押して一〇数えてください」と言ったところ、数の数え方が日本語とそっくりなのです。中国では普通イー、アル、サン、スー……

と数えますが、客家の人たちはイツ、ニー、サン、スー、ゴー、トゥル、ツン、ゲー、クー、ジュウと数えるのです。一〇までの数え方のうち七個が日本語とほぼ同じなのです。

客家の人々を検診する前、チベットで検診をしましたが、チベットも数の数え方が日本とほとんど同じでした。このことを知ったとき、なぜあんな山の中に住んでいる人たちと、海の中の島に住んでいる日本人とが同じ言葉を使っているのか不思議だったのですが、客家の人の数え方を聞いて、「謎が解けた」と思いました。

たとえば佐渡ヶ島と出雲の二カ所にだけ残っている方言というものがあります。よく調べてみると、それは昔の平安京で使っていた言葉なのです。なぜ昔の都の言葉がかつての平安京から見れば辺境の地に残ったのでしょう？　それは都で発明された言葉は都を中心に同心円を描きながら地方へと広がっていきます。そして、また、都で新しい言葉がはやりだすと、その新しい言葉が都の周辺に伝播《でんぱ》していき以前に伝わった言葉を打ち消してしまうのです。しかし、辺境の地には、新しい言葉が届かずに、古い言葉がそのまま残ってしまうというわけです。

チベット語と日本語とが共通の数え方をするのは、非常に古い中国語が東に伝わって残ったのが日本語であり、西に伝わって残ったのがチベット語だったからなのだと考えられないでしょうか。そして、それを今でも中国本土で使っているのが、客家語を話すといわれている客家の人たちなのではないでしょうか。これは個人的な推測なのですが、チベットも客家も日本も、共通する文化を持っているのではないかと思うのです。

塩分の多い食事の害を乾燥野菜で打ち消す工夫

客家の家庭で食べる食事を見せてもらいました。朝ご飯を作るのは、お姑さんとお嫁さんです。夫、妻、子供二人と夫の両親の六人で暮らす家庭のある日の朝食は、豚肉と青菜の炒めもの、高菜と古漬けの炒めもの、卵焼きとご飯でした。昼は、レバーとにがうりの炒めもの、肉豆腐の炒めものに長ねぎを入れたものです。

夕食は、円楼の中にある池で養殖した魚を蒸したもの、高菜の古漬けと豚の三枚肉の炒めもの、魚のすり身団子のスープ、青菜の炒めものでした。

食事のときは、家族全員で円卓を囲みますが、おばあちゃんには肉の柔らかいところを取ってあげるなど、お年寄りへの気遣いを欠かしません。この家のおばあちゃんは薬用酒が好物だそうで、周りの人が食事の度に勧めていたのが印象的でした。

食事は全体的に味付けは濃いめで、塩もたくさん使います。客家の人々は厳しい仕事をこなします。そうすれば汗をかき塩分が不足してきます。そのために塩を多く使った食事をするわけです。また、食べ物を保存するためにも塩を多く使います。これはいつ敵に攻められてもいいようにという準備のためなのです。こんなところにも迫害されてきた客家の歴史が見えるようです。

ただし、食塩の摂取量が多い分、高血圧の人が多いかというと、そうではありませんでした。予想に反して、血圧の高い人が少ないのです。高血圧と判断された人は全体の一〇%。これは、日本の同年齢の人々の半分の割合です。

これは、食塩をたくさん摂っていても、その害を打ち消すような食習慣があるからなのです。たとえば、野菜は保存食にする場合、漬け物にするだけではなく、コーカサスなどの長寿地域で果物をそうしているように、乾燥野菜にして保存します。乾燥野菜にすれば、食塩の害を打ち消す食物繊維やカリウムが多く摂れるのです。実際に村のあちこちで、さまざまな野菜を干している風景を見ることができました。日本にもある大根を千切りにして干した、切り干し大根も作っていました。しかし、客家の人たちはさらにそれを粉にして保存します。その粉を使って作った饅頭などは、大変すぐれた健康食だといえます。

なぜか、沖縄の食事と共通している客家の食事

客家の人々は、豚やあひるも飼っていますが、そういったものは貴重品なので、食べるときは徹底的に全部食べてしまいます。あらゆる内臓を食べるので、内臓料理の種類は豊富で

す。どの料理も野菜と組み合わせて炒めたり、スープにしています。こうして、動物性のたんぱく質と野菜とをたっぷり食べて、塩の害を防いでいるわけです。

私たちは現地でこの料理を初めて見たとき、すぐに日本一の長寿県、沖縄の料理にそっくりなのに気がつきました。沖縄でも豚肉をよく食べますが、料理の方法が非常によく似ているのです。

また、大豆の料理にも共通のものがあります。沖縄で豆腐よう（豆腐の加工品・詳しくは二〇一頁参照）と呼ばれる、宮廷料理とされているものがありますが、客家では同様なものを日常食として、ご飯につけて食べています。

沖縄と客家とでは、料理のほかにもお墓の形や、先祖をしのぶ祭りのやり方など、さまざまな共通点があります。客家の人が沖縄に渡ったのかどうかははっきりしませんが、こんなにたくさん似たところがあって、しかも、両方とも健康にいい食事をしているというのは、興味深いことです。

客家の人々は、固有の食文化を大切にしていますが、同時に周囲の社会や環境と融和して、広東のいい食習慣なども積極的に取り入れています。自分たちのいい食べ物は残しながら、別の民族の料理でも身体にいいもの、その土地でたくさん採れるものは積極的に利用しているというわけです。この自立と共生の精神が、客家の健康の源になっており、そのさまざまな活動を支える精神的なバックボーンにもなっているのです。

■中国の長寿の秘訣

（広州）

●新鮮な肉、魚、野菜・果物など、何でもバランスよく食べている。

●自然の味を生かし、香辛料を巧みに使って、塩分を控えめにしている。

（貴陽）

●豆腐、厚揚げ、納豆など、大豆を徹底的に利用して、良質のたんぱく質を摂っている。

●土壌に、塩分を体外に排出し、骨を丈夫にするカルシウムが豊富に含まれている。

（客家）

●塩分の摂取量は多いが、塩分の害を打ち消すたんぱく質やマグネシウム、カリウム、食物繊維を含む大豆や乾燥野菜を大量に食べている。

●肉を食べるときは内臓まで食べて、たんぱく質や身体にいい微量元素を摂っている。

シルクロードの砂漠に生きる伝統の知恵

外国人が自由に立ち入ることのできない未開放地域に行く

中央アジアに広がる「絹の道」シルクロードは、奈良、平安時代の日本に、遠くヨーロッパやアラビアから物資や文化を伝えた道です。そのロマンチックな言葉の響きもあって、私たちにはとくに心ひかれる場所です。

私たちとしても、ここはどうしても調べてみたい土地でした。というのは、中国の統計によるとウルムチ、トルファン、ホーティエンといったオアシスがある地域には一〇〇歳を超

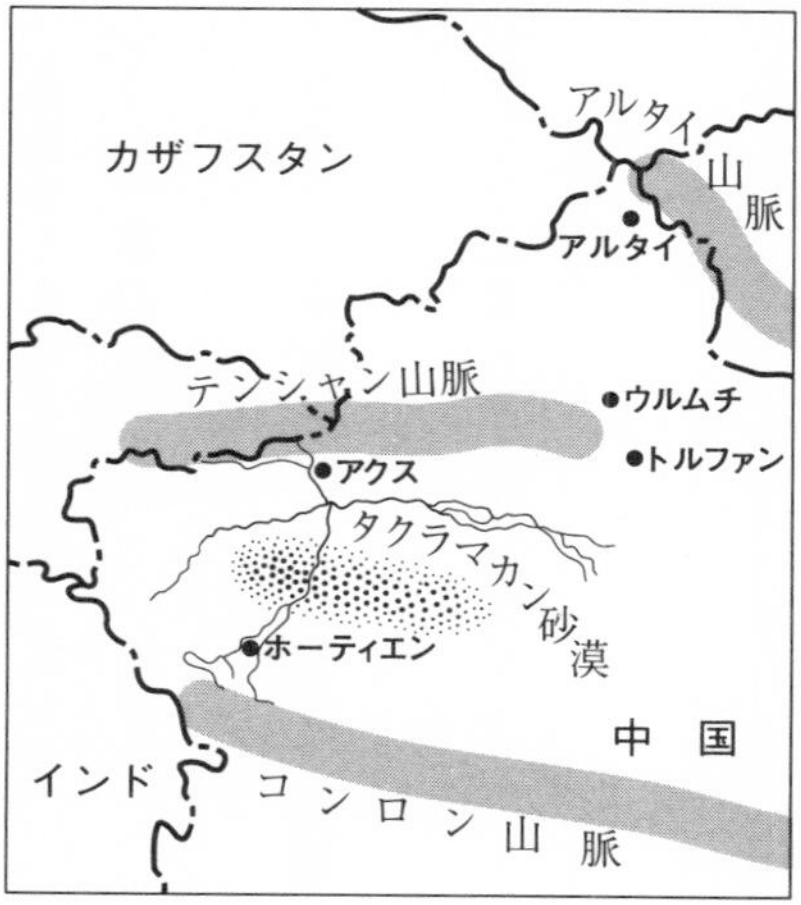

えるお年寄りが多いのに、アルタイ山脈の奥地にはあまり長生きの人がいないからです。

これらの町はみな中国内陸部の新疆《シンチャン》ウイグル自治区にあります。新疆ウイグル自治区の面積は中国全土の六分の一、日本の約四・五倍。そのうち二割は砂漠で、人口は一三〇〇万人、中国の総人口の八〇分の一です。しかし、一〇〇歳以上のお年寄りの数は八六五人、実に中国全体の一〇〇歳老人のうちの二〇％が、ここ新疆ウイグル自治区にいるのです。しかし、その同じ自治区の中で、オアシスと山地とではこんなに落差があるというところに、興味をかきたてられたのでした。

近いところに住んでいるのに、寿命の長さは対照的なこの人々を調べれば、何が長寿の源《みなもと》になり、短命の元凶《げんきょう》なのか、よりはっきりとわかるのではと考えた私たちは、一九八八年八月に調査に出かけることにしました。

しかし、これらの地域は、今も未開放地域です。中国では開放地域、未開放地域と分けていて、未開放地域には外国人が自由に立ち入ることはできません。調査に行った私たちは、歴史のロマンを感じる余裕などないぐらい、大変な思いをしなければなりませんでした。

何をするにもお金！　お金！

新疆ウイグル自治区へは、日本から飛行機で直接行くことはできないので、上海を経由して行くことになりました。しかし、その上海で早くも足止めされてしまいました。上海―ウルムチ間の飛行機が二機しかなく、なかなか切符が取れないのです。政府関係者や、日本からの団体観光客には優先的に切符が回されているらしく、私たちのような少人数のグループはあと回しにされてしまうのだそうです。結局上海に三泊してから、ようやくウルムチ空港に着くことができました。

いざウルムチに到着して、現地の協力機関である新疆医学院の出迎えを受けました。ところが、そこでも、やっかいなことが持ち上がりました。新疆医学院の教授が、調査に必要な費用や車のレンタル料をすべて日本側が負担してほしいといいだしたのです。レンタルしてくれるという車は新疆医学院のものです。要するに学校が白タクを経営しているようなものです。あとからわかったことですが、調査では車を使わなくてはできないようなことが次々とあり、その度に新疆医学院にレンタル料を払わなくてはなりませんでした。

また、外国との共同研究では、外国人研究者から一人一日八〇元を徴収《ちょうしゅう》することになったので、支払ってほしい、ともいわれました。しかも、ここには同じ時期に、私たちWHOのほかに九州大学や岡山大学の調査陣も来ていたのですが、その人たちと連絡をとってはいけない、というのです。これもあとからわかったことですが、みんなそれぞれ違う値段をいわれていて、ある大学の人は一日一二〇元といわれていたのです。私たちは結局、WHOだからということで値引きしてもらい、六〇元を払うことになりました。

　こうして何をするにもいちいちお金を払わないと先に進まないような事態になっていましたが、今、考えてみると、当時の中国としては致し方ないところが、あったのかもしれません。そのころの中国は市場経済への転換期であり、大学の運営もそれまでは国家予算でやり繰りできたものが、独立採算制を敷かれてしまったのです。つまり、儲かるはずのない大学もこれからは儲けなくてはいけない、ということになり、そのためには外国人研究者からお金をとるしかなかったのでしょう。

遊牧民族、カザフ族の住居パオにおじゃまする

　ウルムチから、まずアルタイ山脈に向かうことにしました。飛行機はソ連製のアントノフという年代物のプロペラ機でした。プロペラが回り始めると、エンジンのカバーががたがた音を立て始めます。どうするのかと思ってみていると、整備員がやってきて、そのカバーをばんばんとたたいてはめ込んで、それで出発してしまいました。私たちといえば、びくびくしながらも、無事に到着することを天に祈るばかりでした。

　アルタイでは招待所（外国人ではなく、主に中国の人が泊まる宿泊施設）に泊まりましたが、ここではメンバーの一人がジーパンを洗濯して、玄関の前の木に干しておいたところ、

それがなくなってしまうというちょっとした事件が起きました。また、ロビーに置き忘れたカメラも、一時行方不明になったのです。カメラはあとで出てきましたが、ジーパンは結局出てきませんでした。

こんな調子で調査が始まったのですが、アルタイでは非常に厳しい結果が出てしまいました。食生活が健康的ではないのです。

ここでは、中国の少数民族の一つ、カザフ族が遊牧生活をしています。広々とした草原に羊を追っている姿は、非常に雄大で、遊牧民族の誇りを感じます。

彼らは春から秋までは山地で羊に草を食べさせ、冬の間は、羊と一緒に低地に降りて過ごします。地図で見ると、アルタイの緯度は南樺太《からふと》と同じぐらいです。私たちが調査に行ったのは夏でしたが、冬の寒さはさぞ厳しいことでしょう。

カザフ族はパオと呼ばれるテントに住んでいて、草がなくなるとパオをたたんで家材道具一式とともにらくだにのせ、移動していきます。パオには一間しかなく、台所も寝室も全部その中にあります。私たちはパオにおじゃますることができましたが、色とりどりの絨毯《じゅうたん》が敷かれ、鍋などがきちんと整頓されており、なかなか住みやすそうな住居でした。

しかし、食べ物には大きな問題がありました。彼らは羊のために草を求めて移動するので、どうしても野菜や果物を栽培して、食べるということができないのです。また、「植物は動

パオと呼ばれるカザフ族の住居。犬が出迎えてくれる。

絨毯が敷きつめられたパオの室内と食事風景。

物が食べるものであって、人間が食べるものではない」という考え方があるようで、野菜・果物が手に入ったとしてもあまり食べません。

そのかわりに羊の肉を食べ、そのほかの料理にも羊のミルクから作ったバターやチーズの脂、皮下脂肪などを大量に使います。たとえば、大麦の粉から作るパンも羊の脂で揚げています。私たちがパオにおじゃましたときも歓迎の宴会を開いてくれて、羊を一頭さばいて料理してくれました。そして客人には、その中でも一番「おいしい」部分、羊のお尻にある一〇センチくらいはあろうかという脂を勧めてくれるのです。日本では、牛肉にちょっとついた脂でもはずして食べている私たちですが、ここでは羊の脂肪のブロックをありがたくいただくことにしました。

確かに遊牧生活では毎日馬に乗って羊を追わなくてはなりません。そんな重労働にはカロリーが必要です。羊の皮下脂肪は、手軽にカロリーが摂れるいい材料です。しかし、脂の摂りすぎは、血中のコレステロールの増加につながり、動脈《どうみゃく》硬化《こうか》や心筋梗塞《しんきんこうそく》の原因となってしまいます。

さらによくないのが、固形の茶を削って塩と一緒に煮て、ミルクとバターを入れたバター茶です。カザフ族の人はこれを一日に何杯も何杯も飲みます。これでは、塩分、脂肪分の摂りすぎです。さらに塩分と脂肪分を同時に摂ることは、危険なことなのです。塩分と同時に脂肪分を摂ると、脂肪分の吸収率が高くなります。その意味で、このバター茶は血圧をどんどん上げるための食品なのです。

実際に私たちが検診したときも、五〇代の人が、脳卒中《のうそっちゅう》でパオの中で寝ていました。遊牧民の人たちは移動しなくてはならないので、脳卒中になっては大変です。そもそも調査をしようとしても、六〇歳以上の人が少ないのです。聞き取り調査でも、三〇代で急死した、というような話をよく聞きました。

ただ、カザフ族の食生活で唯一メリットがあると思われたのは、羊の肉を食べるときに、内臓ごと食べていることです。内臓にはビタミンやミネラルが含まれています。こうして、片寄った栄養を内臓肉で少しでも補うことが、民族の知恵として伝承されているのでしょう。

突然出された「検診中止！　即時退去せよ」の命令

アルタイでもほかの地域と同じように、食事の調査のほかに、血圧の測定や採血も行いました。生まれて初めて採血する人も多かったようです。もちろん、コレステロール値や血圧を測るのもみんな初めてでした。日本人なら自分の血圧やコレステロール値は知っていますが、現地の人にとっては、コレステロール値や血圧を測るということがどういう意味をもつのかがわからないとのこと。それでもていねいに説明をし、何とか理解してもらい調査に協力してもらっていたのでした。ところが、当局より突然「検診を中止して、すぐに退去せよ！」という命令が出されたのです。なんでも、外国人は少数民族の採血に立ち会ってはならない、ということで、今日中に仕事場を離れろ、といわれました。私たちは仕方なく、一緒に調査をしてくれていた中国人スタッフにあとのことをお願いして、その場を離れざるをえませんでした。

こういったトラブルは、ウイグル族やチベット族など、中国の少数民族を調査する度に起こりました。とくに血液を持ち出すのが大変なのです。採血自体は現地のスタッフに任せることができますが、分析装置は日本にあるので、血液はどうしても日本に持って帰らなくてはなりません。

あとから考えると中国政府は、少数民族の血液を分析して、遺伝的に各民族が違っている、という結果が公表されるのを恐れていたのだと思われます。中国のその後の研究発表を見ていると、血液中の白血球などを調べて、チベット族と漢民族がいかに近いか、ということを強調するような報告が数多く提出されています。

しかし、民族が違えば、いろいろな遺伝的な性質が異なるのは当たり前です。中国政府は、少数民族に対する政策上、民族間の違いが明らかにされること自体が困ることだったのでしょう。

オアシスの水は健康にいいミネラル・ウォーター

アルタイを出たあと、いったんウルムチに戻り、それから次の調査地のトルファンに向かいました。

今度は陸路で目的地に向かうことになりましたが、ウルムチからトルファンまでは砂漠の連続です。私たちは天山山脈《テンシャン》を眺めながら、道なき道をひた走らなければなりませんでした。

このあたりは盆地で、中国一暑さの厳しいところで、四七・五度という中国の最高気温を三回も記録しています。私たちが調査に訪れたのも夏だったので、四〇度を超える灼熱《しゃくねつ》の中で検診をすることになりました。

ところが、トルファンに到着すると、緑があふれ、水も豊富に流れています。オアシスは、中国語で「緑洲《リュウジョウ》」と書きますが、確かに砂漠の中の緑の島のようです。ここにはウイグル族が定住しており、彼らはレンガで作った半地下式の家に住んでいます。

オアシスには水は豊富にありますが、自然の恵みだけで豊かな水を享受しているのではありません。「カレイズ」という人工の水利施設があり、これで天山山脈や崑崙《コンロン》山脈などの雪解け水を町まで引いてくるのです。二、三〇メートルおきに井戸を掘り、地中に水路を作って、町の近くに水の出口を作ります。こうして水を蒸発させずに町まで引いてきて、いつも一定の水量が得られるようになっているのです。

このカレイズの水は、地下を流れてくるのでカルシウムが多く含まれるミネラル・ウォーターなのです。カルシウムは血圧を正常に保つ働きがあり、この水も長寿の一因なのでしょう。

夏は非常に暑くなるトルファンでは、この水をフルに利用して、野菜や果物を豊富に作っています。しかし、トルファンは内陸性気候で、冬は雪も降る厳しい寒さにみまわれます。そこで冬は何を食べているのかと聞くと、夏と同じものを食べている、というのです。そんなはずはないだろうと思ってよく聞いてみたところ、実はコーカサスと同じように、乾燥させた果物を食べているのでした。

たとえば豊富に穫れるぶどうも、秋に穫り入れたあと、レンガで作った風通しのいい小屋につるして、皮も種もついた干しぶどうにします。このとき、何も手を加えずにそのまま干すのがここの特徴です。寒いところの保存食は、たいていの場合塩を加えて作られるので、塩分の摂りすぎの原因になります。しかし、ここで作られる保存食なら、カリウムや食物繊維、ビタミンなどをそのまま摂ることができるわけです。

トルファンのぶどうにはさまざまな種類があり、薬用にされているものもあります。また、ぶどう酒の製造も盛んです。ぶどうの収穫を祝うマシュラットという祭りもあり、そのときにはみんなで歌ったり踊ったりして楽しむそうです。

トルファンの町は、カレイズからの水が流れ、並木が涼しい日陰を作る。

また、夏の温度が高いので、メロンのように甘いハミウリやすいかなど、糖度の高いおいしい果物ができます。こういった果物は、地下の貯蔵庫に入れて、次の年の春まで保存します。冬が寒いので、冷凍庫のような、ちょうどいい状態で保存できるわけです。

にんじんをたくさん入れた赤い色のご飯、ボロー

農家で食事の支度をしているところにおじゃましましたが、ご飯がまた、ユニークなものでした。脂の少ない羊のもも肉を綿実油《めんじつ》で炒めて、玉ねぎ、にんじんを加えたものに、ほんの少しの岩塩を入れ、水と米を入れて一時間ぐらい煮込む

のです。このご飯はボローと呼ばれていますが、にんじんをたくさん入れるので、赤っぽい色をしています。

おそらくこのあたりでは、米は穫れることは穫れても、十分穫れるわけではなかったのでしょう。そこで、このようににんじんや脂肪の少ない肉を入れて食べることになったと思われます。こうすれば、たんぱく質も、植物性の油も、β-カロチンも一度に摂ることができ、実に身体にいいご飯になります。

そのほかに、酸乳（ヨーグルトのようなもの）という発酵乳を毎日飲んでいます。これもコーカサスと共通するところです。

こういった食事を家族全員、一五、六人が絨毯《じゅうたん》の上に車座《くるまざ》になって、にぎやかに手づかみで摂ります。そしてそのあと、果物をたっぷり食べるのが普通です。これならここの人たちが長寿なのもうなずけます。検診に来てくれた人で、一〇八歳のご老人がいましたが、家族は五〇人ということでした。血圧も正常で、質問にもはきはきと答えてくれて、非常に嬉しく思いました。

調査団、コレラ騒ぎに巻き込まれる

トルファンからウルムチへ戻って、次の調査地であるホーティエンに向かうことになったのですが、このときもうまく飛行機の切符が手に入らず、私たちを心配させることになりました。

苛立ちながら待っていると、現地の人たちが大量ににんにくを買いこんでいることに気づきました。おかしいなと思って、通訳の人に尋ねると、ホーティエンでコレラが流行っていて、しかも、死者まで出ているらしい、というのです。中国政府としては、WHOの調査団にそんなことがばれてしまっては大変だ、ということで、ひた隠しにしていたのでした。

しかも、ようやく乗ることができた飛行機は、給油のために立ち寄ったアクスという空港をいったんは出発したのですが、エンジンが不調でタクラマカン砂漠を越えることができません。仕方なく、アクスへ戻ることになりました。

丸一日たっても、私たちの飛行機は直らないので、ついにアクスで一泊することになりました。すると、そこでもコレラ騒ぎが起きていたのです。私たちは何を食べるにも、食器を煮沸《しゃふつ》消毒して使わなければなりませんでした。

ようやく翌日になってホーティエン行きの便が来ましたが、満員で乗ることができません。これではらちがあかないと思い、その飛行機がアクスに戻ってきたときに、今乗っている人たちをいったん降ろして、私たちを乗せてホーティエンまで行ってくれるよう交渉しました。そうしないと、ホーティエンで私たちを待っている現地の協力スタッフが、私たちが来ないと思って解散してしまいます。

この交渉は難航を極めましたが、なんとかアクス—ホーティエン間を往復してもらい、私たちは目的地に着くことができました。あとで、政府の命令一下で動いているところで、飛行機の時間を変えたのは、私たちだけだ、といわれました。

男性一二〇歳、女性一一〇歳の夫婦に会う

ホーティエンは、タクマラカン砂漠の南、昆崙山脈から流れるふたつの川にはさまれたオアシスです。ここに住んでいる人たちも、トルファンと同じウイグル族の人々です。絹の絨毯が名産品で、蚕《かいこ》のための桑の葉を摘んだり、糸をつむいだりするのはみんな女性の役目です。

ここでは激しく吹いてくる砂塵《さじん》に驚かされました。アスファルトの道からちょっと入ると、靴が半分砂の中に埋まってしまうのです。

こんなところで長生きすることができるのだろうか、と思うぐらいの厳しい環境なのですが、実際ホーティエンには長寿の人が多いのです。八二年の人口調査では、新彊ウイグル自治区に住む一〇〇歳以上のお年寄り八六五人のうち、二〇〇人がホーティエンの人でした。実際、バザールに行ってもたくさんのお年寄りとすれちがいます。私たちの調査でも、自己

ウイグル族の高齢夫婦。二人合わせて230歳。

申告ですが、男性が一二〇歳、女性が一一〇歳という夫婦がいらっしゃいました。年齢はそのまま信じていいのかどうかわかりませんが、二四時間分の尿もきちんと集めてくれたので、ボケてはいないと思います。

ここもトルファンと同様、果物の天国です。バザールにはももやりんご、ぶどう、梨、クルミ、パパイヤ、すいか、うりなど、いつもたくさんの果物が売られています。私たちが滞在していた間も、毎食後すいかが出て、暑い中で水分を補給することができました。豊富に穫れるぶどうのおかげで、ぶどう酒も年間八〇〇トンも作られているそうです。

イスラム教徒の規則正しい宗教的生活と長寿の関係

ホーティエンの人たちは実によく働きます。農家では夫婦そろって農作業をして、野菜や果物を栽培しています。日の出とともに仕事を始め、日が沈むと家に帰るという、健康的なリズムのある生活です。

シルクロードではイスラム教徒が多く見うけられますが、毎日規則正しく礼拝をしているイスラム教徒に長生きの人が多いという興味深い調査結果があります。この調査は、同行した社会心理学の島久洋《しまひさひろ》教授が行ったものですが、「一日五回の礼拝が規則正しい生活と適度な運動をもたらすのではないか」と島教授は語っています。

ただし、イスラム教というと酒も飲まないといったイメージがありますが、そこはかなりいいかげんで、けっこう強い酒を飲んでいるイスラム教徒も目につきました。また、イスラム教の教えでは一夫多妻制で、四人まで奥さんにすることができることになっています。新中国になってからは、表向きは一人ということになっていますが、調査のためにおじゃました多くの家庭に、なんだかお手伝いさんのような人がたくさんいたのは、気のせいだったのではないはずです。

そんなことも含めて、ホーティエンのウイグル族の人たちは宗教的な戒律に縛られた生活をしているというよりは、生活を実に楽しんでいる、という感じがありました。

また、オアシスの社会ではあまり人の移動がありません。ですから、お年寄りも幼なじみと一緒に暮らしながら、年をとっていきます。日本では移動が激しいし、子供も生まれた土地を離れてしまうことが多いので、友達どうしが年をとってもつきあう、ということはあまりないはずです。オアシスでは同級生がそのまま年をとっていくので、毎日が同窓会のような暮らしです。それは楽しいことでしょう。こんなことも長寿の一つの鍵になっているのではないでしょうか。

「007」ばりのサンプル奪還作戦

シルクロードでの調査を終え、ウルムチから日本へ帰る段になって、血液や尿、食事サンプルの持ち出しをめぐって、また、トラブルが起きました。

私たちが集めた血液と尿、食事のサンプルは、新疆医学院の中の冷凍庫に保管してもらっていたのですが、どうしてもそれを引き渡してくれないのです。当時の共産党の力は絶大で、大学でも副学長クラスには必ず共産党の幹部がおり、この人がすべての実権を握っていました。

とくに、この調査で集めた血液は、再三にわたる中止命令のさなか、なんとか中国当局の目を擦り抜けて、苦労に苦労を重ねて集めたものばかりです。まさに血と汗の結晶のサンプルをおめおめ取り上げられたくはありません。どうしても日本に持ち帰って分析したい。そこで、映画「００７」シリーズのような冒険が始まりました。

サンプルを持ち帰るためには、ドライアイスが必要です。しかし、中国のドライアイスは粉のようになっていて、すぐ溶けてしまいます。そこで、サンプルを凍結して持ち帰るためには、サンプルを一度新彊医学院からドライアイスの工場に運んで、そこで直接サンプルにガスを吹き付けてもらわなければだめだ、という話をして、私たちがチャーターした車で工場に運ばせました。

ところが、運転手から電話があって、ドライアイス工場の機械が故障している、というのです。液体窒素《ちっそ》なら手に入る、ということだったので、液体窒素をサンプルにかけて冷やしながら、新彊医学院まで持って帰るよう、伝えました。

新彊医学院では親切に、そういうことなら医学院の冷凍庫で冷やしておいてあげよう、といってくれます。しかし、そんなことをされたら日本に持って帰れるかどうかわかりません。そこで、その車が新彊医学院に戻ってきたときに、同乗していた監視役の共産党書記長を「話があるから」と言って降ろし、そのすきに車に残った運転手にこっそり金を渡して、私たちが泊まっていたホテルまで、尿と食事のサンプルを持ってきてもらいました。

ホテルでは、氷をたくさん買いこんでバスタブに詰め、その中にサンプルを入れておきました。そして、あらかじめ自分たちでタクシーをチャーターして、朝までホテルで待たせておき、その車で朝一番にこっそりと、氷詰めにした尿と食事サンプルを空港まで運び、日本まで持ち帰りました。

それにしても、それまでの中国の官僚のしうちにはあまりに腹が立ったので、せめてもの腹いせに、タクシーでホテルを出るときに、鏡に「中国の官僚は人民の敵だ！（中国官僚是人民的敵！）」とマジックで落書きしてきました。心配しながらも空港まで無事についたのですが、そのときに記録映画を作るために同行してくれていた岩波映画のスタッフが、まだ残っていることを思い出したのです。映画班の人が捕まってしまったら大変だ、と思って、もう一度タクシーに乗ってホテルに引き返し、その落書きを消してきました。本当に腹立たしいことでした。

さて、かんじんの血液ですが、新疆医学院で保管してもらった血液のほうは、結局捨てられてしまったのです。

ですから、中国では血液のデータだけが抜けてしまっています。このように、私たちの調査は当時の中国の官僚によってさまざまな妨害を受けたのでした。

しかし、この時代は、中国にとって変化の激しい時代だったようです。私たちをこうしてさんざん妨害した共産党書記長は、その後失脚したと聞き、少しばかり溜飲《りゅういん》の下がる思いがしました。

遊牧民とオアシス住民の生活を比べる

さて、この新疆ウイグル地域の調査を振り返ってみましょう。シルクロードの短命な遊牧民と、長命なオアシスの住民の生活を比べると、長寿の秘訣がわかってきます。

まず一つは、野菜・果物の摂り方の違いがあります。カザフ族は過酷な自然条件の中で暮らしているため、野菜・果物がほとんど食べられないのに対し、オアシスに住むウイグル族は、野菜・果物をたくさん摂取することができます。

また、動物性の脂の摂り方にも違いがあります。厳しい労働に耐えるだけのカロリーを摂るために、あらゆる料理に羊の脂をたくさん使わざるをえないカザフ族は、コレステロールの摂りすぎになってしまい、動脈硬化などの病気が増えてしまうのです。バター茶のように、塩と脂肪を同時に摂る組み合わせも、また短命の原因なのです。

さらに、健康に楽しく暮らすための知恵や工夫の問題もあります。たしかに遊牧民が暮らす山奥の土地よりも、オアシスのほうが自然条件に恵まれていることは事実です。しかし、オアシスに住む人々も、何もしないでただ漫然《まんぜん》とその自然の恵みを享受しているわけではありません。収穫できない冬に備えて夏に穫れた果物や野菜を乾燥しておいたり、低温貯蔵でできるだけ日もちさせるなどして、一年中バランスのいい食べ物を食べる工夫がなされていました。また、水があるオアシスにあっても、わざわざ人工の水利施設カレイズを作って水を引き、野菜・果物の栽培に使い、カルシウムやマグネシウムをその水から摂っています。このようにオアシスの住民は、健康にいいものを選び、それをたくさん食べられるよう創意工夫を重ねているからこそ長寿が達成できるのです。

このように同じ地域とはいえ、食事の仕方や生活スタイルの違いによって、健康状態の差が出ているわけです。自然に恵まれていることは長寿の条件の一つですが、食事や生活スタイルをめぐるさまざまな知恵も、その条件であることが、ここでもまた確認されたのでした。

■シルクロードの長寿の秘訣
(ウルムチ、トルファン、ホーティエン)

●乾燥したり、冷蔵したりするなど、貯蔵に工夫をして、一年を通じて野菜・果物をたくさん食べている。

●塩分をひかえめにし、野菜や肉をたくさん入れた混ぜご飯で、栄養のバランスを取っている。

●カルシウムやマグネシウムが豊富な地下水を飲んでいる。
●年をとっても、家族や友人どうしの交流がある。

■シルクロードの短命の原因
（アルタイ）
●野菜・果物を食べない。
●羊の脂を大量に摂取しているので、脂肪分の摂りすぎになっている。
●塩のたくさん入ったバター茶で、塩分と脂肪分とを同時に摂り、血中コレステロール値を高めている。

地中海の健康食とフレンチ・パラドックス

マフィアの本拠地、シシリー島でギャングに襲われる

ヨーロッパでは近年、地中海食を食べている人は、心筋梗塞《しんきんこうそく》が少ないというデータが発表され、一躍注目を集めました。また、日本人の寿命がここ数年にわたり世界のトップを占めているという事実から、日本食も脚光を浴びています。現在のヨーロッパの医学界において、地中海食と日本食は健康にいい食事の双壁《そうへき》として、その名をとどろかせています。

一時期日本でも、地中海食の一つであるオリーブオイルを使った南欧料理が、健康的なダ

イエットに適した食事として話題になったことがあります。

そこで、ヨーロッパで話題の地中海の食事は、どのくらい身体にいいものなのか、なぜ地中海地域には心筋梗塞が少ないのかを探るため、私たちも調査を行うことにしました。

調査はスペイン二カ所、イタリア二カ所と、ポルトガル、ギリシャで行いました。地中海に面したこの国々は、一年を通して温暖で、しかも湿度が低く、過ごしやすい地域です。そのため、多くの人が夏のバカンスや冬の避寒地として訪れています。

これらの国々の調査は、アフリカや旧ソ連に比べればスムーズに進みましたが、一九八九年一〇月に行ったイタリアのシシリー島では少々肝《きも》を冷やす目に遭遇《そうぐう》しました。

シシリー島での調査は、予備調査を地元のパレルモ大学にお願いしてありました。ところが、検診のための機器を送ってあるにもかかわらず、なかなか予定の検診をやってもらえません。いつまでも先方の教授に頼っていてもらちがあかないので、単身で現地まで赴《おもむ》いて検診を一緒に行うことにしました。

パレルモの空港に着くと、パレルモ大学の教授に「まずはホテルへどうぞ」と言われて、ホテルで一緒に昼食を摂りました。イタリア南部ではシエスタ(昼寝)の習慣があるので、打ち合わせは午後四時からということになりました。イタリアはすべてが万事、こののんびりしたスケジュールです。まだ、打ち合わせにはだいぶ時間があるし、どうしようか考えました。

パレルモは古い歴史のある町です。昔はイスラム教徒が支配していましたが、その後キリスト教が勢力を伸ばしたため、イスラム教の寺院がキリスト教の教会に転用されたりしています。そのころの教会が数多くあるので、そのうちの一つでも見て時間をつぶそうと、ガイドブックを片手にホテルを出ました。

歩いていると、ある教会の近くに「教授の家の通り」という標識が古壁にはめこまれた路地を見つけました。昔、教会は大学を兼ねていたので、この通りにはかつて大学の教授たちが住んでいたのでしょう。しかし、今ではそのあたりはスラム街になってます。この歴史的なギャップがなかなかおもしろいなどと思い、めざす教会へも近道のようなので、その路地を歩くことにました。

その路地は、道には石畳が敷き詰められていて、道の真ん中はくぼんだ下水が通っています。四つ角には水がわき出ている泉などもあり、そこへ水を汲みにきた近所の主婦が立ち話をするのどかな光景なども見られました。日本のお地蔵さんのように、町角の小さなキリスト像に蠟燭《ろうそく》がそなえてあるところもあり、その信心深さに感心しました。路地の両側には傾いてしまって、真ん中でつっかい棒をしているような家もあります。そんな風景を写真を撮りながら、どんどん奥まで入っていきました。

私はこういうところを歩くときは、用心のために道の中央を歩くようにしています。ところが、バイクに乗った男がすぐそばを猛スピードで走り抜けていったので、道の端によりました。

そのとたんに、五、六人の男に囲まれて、あっという間に脇の路地に連れ込まれてしまったのです。「警察はイタリア語でなんていうんやったかなあ」などと考えている暇はありません。相手は手で口をふさごうとします。私は大声で「ヘルプ・ミー！」と叫びました。すると彼らはカメラや財布など、金目のものを手早く奪い取って、全速力で逃げていったのです。

教会に行けば悪いことはされないだろうと思い、一目散に教会に逃げ込みました。そして自分の身体をよく見回してみると、シャツの脇が切られているのです。そのときは気がつかなかったのですが、ナイフをつきつけられていたのでした。シシリー島といえば、マフィアの本拠地です。シャツが切られたぐらいですんで本当によかったと思いました。

地中海食に使われる材料は、日本食にそっくり！

さて、危険な目にあったシシリー島ですが、人々の食事を分析してみると、素晴らしい内容のものでした。これはシシリーだけでなく地中海地域の料理全般にいえることですが、魚介類をたくさん使うことが特徴です。地中海地域では普通の魚はもちろんのこと、ほかのヨーロッパの人たちは「悪魔の魚だ」などといって食べないいかやたこまでも、焼いたりゆでて酢やオリーブオイルに漬けて食べています。

また、スペインの郷土料理でも魚をよく使います。地方によって違いはありますが、パエリヤ（魚介類を炊き込んだピラフ）やガスパチョ（冷たい野菜スープ）などが有名です。魚は、アンチョビ（かたくちいわし）とボニト（ほんがつお）だけは生でマリネにしたり、ソースをつけて食べますが、普通はゆでたり油で揚げたりして食べます。

ギリシャでは、ギリシャ正教の教えで毎週金曜日は肉を食べずに魚を食べるという習慣があります。

魚介類をたくさん食べるという点で、地中海食はきわめて日本食に近い食事といえるでしょう。魚にはタウリンというアミノ酸の一種が含まれています。そして、このタウリンは血圧を下げる働きがあり、長寿達成に不可欠なものの一つと考えられています。

地中海食に使われる材料は、その味の特徴にもなっているオリーブオイルをのぞけば、日本食と同じようなものが使われています。ですから、地中海地域の人たちは、ほかの欧米諸国の人たちに比べて、尿の中のタウリンの量が多く、日本人に近い数値を示すのです。

大航海時代がもたらした強い塩味

しかし、地中海食は全般に決して薄味ではなく、したがって、塩分の摂取量もそれほど少ないというわけではありません。たとえばマドリッドの人々の一日の食塩摂取量は約一四グラムと、日本の富山県と同じぐらい多い量です。

これは、塩漬けの魚が原因でした。日本ならいわしのような腐りやすい魚でも、新鮮なものは生で食べたりそのまま焼いたりして食べます。ところが地中海では、新鮮な魚の多い漁港町でさえ、生のいわしを焼いて食べるようなことはしません。樽に入れて、塩漬けにしてしまう場合が多いのです。

魚をいったん塩漬けしてから食べるこの方法は、スペイン、ポルトガルだけでなく、南米のブラジルやエクアドル、ペルーでも見られます。南米も基本的には塩辛いものが好まれる地域なのです。

スペイン、ポルトガルと南米で塩辛いものが好まれる理由は、これらの国々の歴史を考えると見えてきます。スペインやポルトガルは、一五世紀から一七世紀の大航海時代に新大陸を制覇《せいは》した国々です。リスボンやバルセロナなどの港町からは、新大陸に向けてたくさんの船が出航しました。大航海時代に船で長いあいだ航海するには、保存食が欠かせません。そこで登場したのが塩漬けにした魚であり、肉であったのです。航海中はこうした塩漬けの食糧しか食べられませんでした。こうして海を渡ったこれら国々の人たちは強い塩味に慣れ親しむことになり、その味覚が今日までも続いていると考えられるのです。

マドリッドの市場。豊富な果物類にただ驚くばかり。

しかし、魚は新鮮なものを塩や油を使わないで食べたほうが、その有効成分を活用できるのです。その意味では、魚を生で食べる日本の刺身は、はるかに身体にいい食べ方といえるでしょう。

さて、魚に関しては、地中海地域より日本のほうが身体にいい食べ方をしていますが、野菜・果物については、地中海の人のほうが日本人よりはるかにたくさん食べています。地中海食は、この点でも注目されているのです。

地中海地域の市場などで売られている野菜・果物を見ると、その種類と量の豊富さに圧倒されます。温暖な地中海性の気候が野菜や果物を実に豊かに育てているのです。とくに柑橘類《かんきつるい》が豊富なのは、湿気の少ない気候を好む柑橘類に、まさにこの気候がぴったりだからです。日本でも有名なバレンシアオレンジは、スペインのバレンシア地方原産のオレンジです。

野菜・果物をたくさん食べているおかげで、地中海の人々の尿中のカリウムの量は、日本人の一・五倍ぐらいになっています。これは脳卒中予防のために十分と考えられる一日の摂取目標量に近い値です。また、もちろん野菜・果物には食物繊維も豊富に含まれています。このカリウムと食物繊維とが、塩の害を防いでいると考えられます。

このように地中海食はいわれているとおり、野菜、果物、魚をたくさん食べる健康的な食事だということがわかりました。しかし、魚の食べ方をもっと工夫すれば、より理想的な食事に近づけられることでしょう。新鮮な魚がたくさん手に入る地域なのですから、さまざまなスパイスを使う地中海の素晴らしい料理法を駆使して、新しい味覚を作っていってほしいと思います。

フランスに心筋梗塞が少ない「フレンチ・パラドックス」の謎を解く

ヨーロッパの食事といえば、やはり、世界でも美食の一つといわれているフランス料理のことが気になります。

実はこのフランス料理の材料には、フォアグラなど脂肪分が多いものがたくさんあります。

フランス料理を特徴づけている、肉料理や魚料理にかけるソースにも、油がたっぷり入ったものが多く見られます。私たちは一九九一年一一月に、ジャンヌ・ダルクの出身地として有名なオルレアンという田舎町で調査をしましたが、やはり脂肪分が多い食事をしていました。

フランスだけでなく、イギリスのスコットランドやアイルランドも脂肪分が多い食事を摂っているところです。このような食事は、心筋梗塞などの原因となり、実際にイギリスは世界でも一、二を争う心筋梗塞の発生率が高い国になっています。ところが、フランスでは食品の脂肪分が多いにもかかわらず、心筋梗塞による死亡率が、日本人と同じぐらい低いのです。また、極端に肥満した人というのも見かけません。

日本人は脂肪分の摂取量が少ないので、心筋梗塞が少ないのは当たり前です。しかし、フランス人はどうして心筋梗塞にならないのか。この矛盾は医学界では「フレンチ・パラドックス」と呼ばれて、いろいろと議論されてきました。

最近の研究で、この謎も解明されつつあります。私たちのオルレアンでの検診でも、興味深い事実をつきとめました。オルレアンの人々の尿を調べたところ、日本人と同じぐらい、またはそれ以上の量のタウリンが出てきたのです。

これまでの調査で、タウリンをたくさん摂っている人には心筋梗塞が少ないということがわかっています。タウリンは魚に多く含まれているため、魚を多く摂る日本人は尿の中のタウリンの量が多いというのは納得のいく結果です。しかし、オルレアンは内陸部にあり、日本人よりたくさん魚を食べているとは思えません。それでは何からタウリンを摂っているのでしょうか？　聞き取り調査をしたところ、興味深いことがわかりました。

オルレアンの人たちは、肉を食べる場合、ロースやヒレばかりではなく、肝臓や心臓、腎臓など内臓も全部食べてしまいます。内臓をスープのだしに使うなどして、家庭で日常的に使いこなしているのです。こういった内臓には、タウリンが多量に含まれているのです。オルレアンの人たちは、魚ではなく動物の内臓からタウリンを摂っていました。そして、それが心筋梗塞を防いでいる理由の一つなのです。

このようにバランスよく、肉のあらゆるところを利用するフランスに対して、イギリスでは産業革命で早くから豊かになったため、内臓などは食べずに捨ててしまい、上等なところだけを食べています。とくにイギリスで毎日のよう食べられている、おいしいところの肉を塩を利かせて燻製《くんせい》にしたベーコンは、その代表的なものでしょう。これには、心筋梗塞を防ぐタウリンが含まれていません。これが、イギリス人に心筋梗塞が多い一つの原因なのです。

「赤ワインは百薬の長」の秘密を探る

もう一つ、フランス人に心筋梗塞が少ないのは、赤ワインのおかげでもあるようです。

赤ワイン、とくにボルドーの赤ワインには、銅が非常に多く含まれています。ボルドーではぶどうを育てるときに、硫酸銅《りゅうさんどう》が入ったボルドー液という消毒液を使いますが、ボルドー液を使うと、一番いいカビだけを残して、ほかの悪いカビや害虫を除くことができます。赤ワインはボルドー液で消毒されたぶどうを皮ごと使って作られます。ですから、赤ワインには銅がたくさん含まれているのです。

銅そのものが単独で身体にいいわけではありません。しかし、銅が身体の中に入るときに作る酵素は、コレステロールの酸化を防ぐ働きがあります。コレステロールには悪玉と善玉のコレステロールがあり、悪玉のＬＤＬと呼ばれているコレステロールは、そのままでは人体にあまり悪影響はありませんが、酸化されると血管の中に入りやすくなって、動脈硬化の原因となります。しかし、銅を摂っていると、銅が作る酵素がコレステロールの酸化を防いでくれるので、動脈硬化になりにくくなるのです。

欧米では実際に、亡くなった人を病理解剖した結果、肝臓に銅が多く含まれている人は、大動脈に動脈硬化が起こっていないことが多いというデータがあります。

また、これに関連して、ケンブリッジ大学のハワード教授という人がおもしろい実験を行っています。七面鳥はヨーロッパでよく食べられている食材ですが、動脈硬化を起こし、ひどくなると大動脈破裂で突然死んでしまうというのです。あまりにもこのケースが頻繁《ひんぱん》に起ころので、何千何万もの七面鳥を飼っている生産業者にとって死活問題になっていたようです。そこで、ハワード教授は餌に含まれる銅の量が少ないのではないかと考え、銅を増量したものを与えてみたところ、その後、七面鳥に大動脈破裂が起きなくなったと報告しています。ちなみにこの大動脈破裂は石原裕次郎さんがかかった病気として知られています。

最近の研究で、ワインにはこの銅のほかにも、ポリフェノールなど、さまざまな植物性の抗酸化剤《こうさんかざい》が含まれていることもわかってきました。有色野菜に多いβ-カロチンなども、抗酸化剤の一つです。この抗酸化剤が動脈硬化を防ぎ、心筋梗塞にかかりにくくしているのではないかという説もあります。これについては、現在、さまざまな実験が行われている最中です。

銅は、ワインだけでなく、肝臓などの内臓にもたくさん含まれています。肉を内臓ごと食べていれば、タウリンのほかに銅などの微量元素を摂ることもでき、ますます動脈硬化になりにくくなる、というわけなのです。

また、魚や貝、いか、たこなどの血液にも銅は多く含まれています。ほ乳類の血液中にはヘモグロビンという鉄が含まれていて、それが酸素を運ぶ役目をしていますが、魚介類の血液ではヘモシアニンという銅が同じ役目をしているのです。

さらに銅は、海藻にも非常に多く含まれています。魚介類や海藻をたくさん食べる日本人は、この点でも恵まれているのでしょう。ケンブリッジ大学で、私の血液中の白血球に含まれる銅の量を調べてもらったところ、その多さに驚かれてしまいました。私の白血球には、心筋梗塞になり、心臓のまわりの冠動脈をつなぐバイパス手術をしなければならないような人の三、四倍の銅があったのです。イギリス人の健康な人でも、バイパス手術が必要な人に比べると、その倍ぐらいの銅をもっていますが、私たちはさらにその一・五倍から二倍の量の銅をもっていることになります。日ごろから魚介類を食べているおかげで、このような好結果が出たのでしょう。

フランス料理は肉類や魚介類以外にも、さまざまな食材を巧みに組み合わせて、複雑な味を楽しむ料理です。赤ワインにしても、ぶどうを皮ごと使って、身体にいい成分を全部使いながら、実に微妙な香りと味わいを引き出しています。バラエティに富んだ食材を使い、しかも、内臓などのさまざまな部位を食べることで、タウリンや銅などの有効成分が自然に摂れるフランス料理は、素晴らしい生活の知恵から生まれたものといえるでしょう。

ミネラル・ウォーターを飲めば長生きできる？

フランスの人々は、水道水が飲料に適さないので、ボトル入りのミネラル・ウォーターを飲んでいます。

このミネラル・ウォーターは、山の奥からわき出た水です。これは土中のマグネシウムやカルシウムなどのミネラルが溶け込んだ文字どおりのミネラル・ウォーターです。

私たちの研究では、尿中のマグネシウムの量が多いほど、また、カルシウムの摂取量が多いほど、血圧が低くなることがわかっています。ということは、フランス人の健康には、このミネラル・ウォーターが一役かっている可能性が高いと思われます。

この認識をより強くしたのは、イスラエルでの調査でのことです。調査の結果、イスラエルの人々には、心筋梗塞が少ないことがわかりました。その理由の一つを、私は風景を見て思いつきました。イスラエルには牧場が多く、聖書にあるように羊がたくさん飼われていますが、その羊と見分けがつかないぐらい牧場の岩が白いのです。これは、その土地が石灰岩でできているからなのでした。

水が貴重品であるイスラエルでは、ガリレア湖を水源とし、ここの水を全国に配るシステムを作っています。イスラエルの人々は、この水を飲んでいるため、マグネシウム、カルシウムなどミネラルを自然にたくさん摂ることができるのです。イスラエルに心筋梗塞が少ないのは、この水によるところが大きいのかもしれません。

フランスやイスラエル以外にも、先にも述べましたがシルクロードのオアシスのカレイズという水路を流れてくる水や、広州《こうしゅう》で飲まれている水にはミネラルが豊富に含まれています。オアシスの水は砂漠の下のカレイズを何キロも流れてきたものですし、広州の水も大陸を長時間かけて上流から流れてきた水です。

反対にタンザニアのダレスサラームの飲み水には、マグネシウムやカルシウムがあまり含まれていません。そしてダレスサラームでは最近になって高血圧が増えています。もちろんこれは水だけが原因ではありませんが、やはり水からミネラルが摂れないこととも関係があるのではないかと思っています。

インテリジェンス＝生活の知恵が長寿への鍵

長寿のための要因として、食べ物のほかにもいろいろな要素がありますが、心のもちようといった心理学的な要素も見逃せません。これについて、アメリカのデューク大学で興味深い研究が行われています。

この大学には一九五〇年代に世界初の老人研究所が作られ、そのときに六五歳以上のお年寄りを対象に、その人たちが亡くなるまでさまざまな項目について調べました。どんな生活を送っていれば、平均余命（ある年齢の人があと何年ぐらい生きられるかを平均したもの）を延ばすことができるのか、いろいろな角度から調べたのです。一九五〇年代に六五歳以上だった人々が全員亡くなられるまで、約二五年もかけて調査された、大変貴重なデータです。

その調査結果によると、健康で長生きするための社会心理学的な要因として、三つの要素をあげています。一番目は、自分が健康だと思っている、ということ。医者の診察とは関係なく、自分の健康に対する満足感の度合いです。私は健康だ、元気だ、と思っている人は、長生きする傾向にあるのです。

二番目は、女性と男性とでは違っており、男性なら仕事が楽しい、または楽しかったと思っている人、女性なら家庭がよかった、あるいはいいと感じている人です。これは世界のほかの長寿地域にもあてはまることですが、何か役割感をもって、社会に参加しているという認識のあるお年寄りは元気です。コーカサスでも、いろいろな仕事があって、とにかく忙しくてたまらない、というお年寄りが元気に長生きしていました。

また、地中海の国々でも、お年寄りが家族の中心になって一族をまとめる、という光景がよく見られます。イタリアなどでは一人で住んでいるお年寄りも多いのですが、家族の結束が堅く、親戚づきあいをとても大切にしています。子供や親戚が近所に住んでいて、緊密に行き来しあっており、お年寄りが一人でご飯を食べるというようなことはありません。

ヨーロッパのほかの国では個人主義の傾向が強く、たいていの場合子供が独立すると、親だけで生活します。スウェーデンなどは地域健康管理が進んでいて、お年寄りが安心して一人暮らしができるような社会的な基盤が整備されています。しかし、健やかに長生きするためには、地中海地域のお年寄りのように、社会とのかかわり、家族とのかかわりが不可欠であることがわかってきたため、これら個人主義的な国でも、独立して住むことの見直しが進んでいます。

三番目は、インテリジェンス、生活の知恵がある人が長生きするというのです。私たちが行ったスペイン調査でも、人によって教育の程度に大きな差がありましたが、学歴が血圧やコレステロール値の低さ、肥満の少なさと関係していることがわかりました。

もちろん、学校に長いあいだ通うことが、長寿の必要条件ではありません。マサイ族などは、学歴からいえばまったくないに等しいのです。しかし、彼らは学校教育のかわりに、日日の暮らしの中で、伝統的な知恵を身につけています。青年期になると、二年間よその土地を回る武者修行をさせて、新しい知識を会得するチャンスを与えます。さらにミルクに牛の生き血を入れてビタミンや鉄分を摂る方法や、傷口に泥を塗って土の中の抗生物質を利用する方法などの素晴らしい知恵を、若者たちは確実に受け継いでいきます。学校がなくても、こういった仕組みが最高の教育になっているのです。

学校の成績がいいとか、学歴が高いということは、知性のほんの一つの側面にすぎません。何が生活に役に立つのか、何をどのように料理して食べれば健康にいいのかを知っていることが、真のインテリジェンスであり、長寿への鍵なのです。

■地中海・フランスの長寿の秘訣

（地中海）

●魚介類をたくさん食べて、たんぱく質、タウリン、魚油を摂っている。

●温暖な気候で、野菜・果物が年中豊富に食べられる。

●自分の健康への自信、家族や仕事に対する満足感、人々との親密な交わりなどがある社会である。

（フランス）

●肉を内臓ごと食べて、タウリンや動脈硬化を予防する銅などの微量元素を摂っている。

●コレステロールが血管にたまるのを防ぐ、抗酸化物質の多い赤ワインを飲んでいる。

●毎日飲んでいるミネラル・ウォーターに、塩分を体外に排出してくれるカルシウムやマグネシウムが含まれている。

第2章

短命地域の謎を探る

塩茶、バター茶が寿命を縮めるチベット

仏教の聖地、チベットは短命の地

中国の奥地、高い山々が連なる秘境、チベット。ここは、極彩色の砂で描かれたマンダラや厳しい修行を重ねる僧侶たちに象徴されるように、信仰心の篤《あつ》い人々が暮らす土地です。真摯《しんし》に祈る人たちの印象が強く、不健康な生活とは無縁な印象を受けるチベットですが、実は中国の統計によると大変寿命の短い地域なのです。私たちはその原因を探るため、調査に出かけることにしました。一九八六年七月から八月にかけてのことです。

チベットは現在、中国の一部となっており、シルクロードの新疆《シンチャン》ウイグル自治区と同じような自治区の一つ、チベット（西蔵《シーツァン》）自治区と呼ばれています。私たちは中国大陸南部の都市、成都《チョントゥー》からチベット自治区の州都ラサへ向かいました。

ラサの標高は三八〇〇メートル、富士山の頂上より高いところに位置しています。周囲には険しい山々が連なり、天国に一番近いところといった印象で、今にも神々が降りてきそうな雰囲気です。ただ、空気は非常に薄く、私は到着してすぐに軽い高山病にかかってしまいました。鏡に映った自分の顔は、まるで死人のように血の気が失せているのです。

空港は、ラサ市内から約一〇〇キロ離れたところにあります。市内までは乗合バスを使いましたが、古いバスはがたがたの道を上下左右に激しく揺れながら進みます。私たちは機材が壊れないよう、膝に大事に抱えていなければなりませんでした。

バスはポタラ宮の近くで止まり、そこでひとまず荷物を降ろします。ポタラ宮は世界最大級の建築物で、マルポリという丘を覆《おお》うようにして建てられていて、その美しさはベルサイユ宮殿に匹敵するといわれるほどです。こんな標高の高いところに壮大な寺院を建てられる建築技術に、チベットの文化の高さがしのばれます。ポタラとは、サンスクリット語で「観音様の住むところ」という意味。チベットではチベット仏教の最高指導者ダライ・ラマが観音の化身であると信じられているため、ダライ・ラマがこの宮の主ということになります。

しかし、ポタラ宮は現在、住むべきダライ・ラマが宗教活動を禁じた中国政府と戦ってインドに亡命したため、主人のいない宮殿になっています。

このポタラ宮の近くでバスを降りたものの、私たちは検診用の荷物とともに途方に暮れていました。というのも北京《ペキン》から来てくれるはずの案内役が来てくれなかったからです。仕方なしに、私たちは荷車を持っている人に筆談で頼んで、何とか宿泊場所である「招待所」に連れていってもらいました。

急死した人は「心がけがよかった」と祝福されるが……

このときの検診で、チベットには高血圧の人が非常に多いということがわかりました。五〇歳から五四歳の人のうち、約四割が高血圧の人でした。しかも、それらの人の中には最高血圧が二〇〇を越える重症の人が大勢いるのです。

聞き取り調査では、急に亡くなる人も多いことがわかりました。チベットでは、急死した人は苦しまずに仏様のもとに行けた、つまりそれは、ふだんの心掛けがよかったからだ、と祝福されます。コーカサス、ビルカバンバが「長命の里」というなら、チベットは「短命の里」ということになってしまうのかもしれません。

しかし、たとえお坊さんにそう慰《なぐさ》められても、肉親や親しい人が若くして急に亡くなるこ

丘の上に建つ壮大なポタラ宮。

とは、どんな人にとっても悲しい出来事に変わりありません。どうしたら若年死を減らせるのか、その短命につながる原因をぜひ探りたい、と私たちは思ったのでした。

チベットでは亡くなった人の死因を調べる病理解剖をしていないので、死因についての医学的なデータはありません。しかし、私たちは現地の人たちの血圧が高いことから、脳卒中《のうそっちゅう》で亡くなる人が多いのではないか、と推測しました。

高血圧の人が多いのは、やはり食生活に原因があると考えられます。

チベットでは良質な岩塩が採れます。この岩塩は国内はもちろん外国にも輸出される換金物で、現地の人はこの岩塩を数珠《じゅず》のようにつないで、腰に巻いて歩きます。そして、この塩をお茶に入れて、塩茶を作ります。

さらにここでは生水が飲めないので、この塩茶にヤク（チベットやヒマラヤの山岳地帯に生息する牛の一種で、家畜化されている。牛との大きな違いは、長い毛が生えていること）のバターを入れたバター茶を魔法瓶のようなものに入れ持ち歩き、のどが渇いたときに飲んでいます。この塩とバターが入ったお茶を、一日に四リットルも飲むので、一日の塩分の摂取量は一八グラムに達します。これは、日本で一番塩分の摂取量が多い東北地方と同じぐらいの量です。

塩分とバターの中の脂肪を一緒に摂ると、コレステロールが関係した動脈硬化が起こりやすくなることは、先に書きました。

しかも、野菜・果物をほとんど食べることがありません。なにしろ、富士山の山頂で暮らしているようなものなので、野菜などが育たないのです。

それに、たんぱく質も少ししか摂ることができません。動物性のたんぱく質は主にヤクの肉から摂っていますが、このヤクの肉は保存のため塩漬けにされたものです。これでは、たんぱく質をとる以前に、塩分の摂りすぎになってしまいます。また、植物性のたんぱく質も、大豆などの豆類が標高三八〇〇メートルもある高地では育たないため、摂ることができ

アリコートカップを使った検査では、多量の塩分が検出される。

ないのです。

これだけたくさんの塩分を摂っているにもかかわらず、その害を防いでくれる野菜や果物、それにたんぱく質までもが十分に摂ることができない環境なのです。これでは多くの人が高血圧になっても不思議はありません。

遺体を鳥に食べてもらう鳥葬を見学

チベットの人たちが、劣悪な食生活により高血圧や動脈硬化になっていることはわかりました。そして、急死の原因が脳卒中であることは容易に想像がつきましたが、実際にどんな病気で亡くなっているのかはわかりません。病理解剖をしてみれば一目瞭然なのですが、それは宗教的な理由でどうしても無理ということでした。

そこで考えたのが、鳥葬《ちょうそう》を見学させてもらうことです。チベットでは、ハゲワシのような鳥が多い、山の麓の大きな岩（鳥葬台）に遺体を安置して、鳥に遺体を食べてもらうという風習があります。こうして鳥に食べてもらうことで、肉体をほかの生物に与える供養の行をすることができ、魂が鳥とともに天にもどると信じられているのです。

鳥葬をするときに、僧侶は遺体をナイフで切り開き、頭蓋骨《ずがいこつ》は石を落として潰します。これは、鳥に遺体を残さずに食べてもらうことで、完全に天に帰ることができると信じられているからです。

この鳥葬で遺体を開いたときに、大動脈にどれぐらいコレステロールがついているかを見せてもらえば、心臓の血管（冠動脈《かんどうみゃく》）で動脈硬化がどの程度進んでいるかの見当がつきます。そこで鳥葬の見学をお願いしていたところ、ある朝見学の許可がおりたのでした。

時間は午前四時ごろ、場所はラサ郊外の山の麓です。まだ薄暗いうちにホテルを出て、鳥葬が行われる場所につきました。

そこは賽《さい》の河原のように石だらけで、木が生えていない、荒涼としたところでした。近くにはげ山があり、そこにハゲワシが住んでいます。遺体が運ばれてきました。霊柩車のようなものはないので、布でまるく包んだ遺体がトラクターに乗せられています。遺族の代表が見守る中、小高くなったところにある大きな石の祭壇に遺体が置かれ、鳥葬が始まりました。

私たちは敬虔《けいけん》に、遠くに離れて見守っていました。お坊さんが何人も並んで、笛を吹き始めるとハゲワシがだんだん降りてきます。きっとハゲワシには、笛の音がすると肉が食べられるという条件反射がついているのでしょう。お坊さんが遺体の布を取って、大きなナイフで遺体を解体し始めました。

鳥葬を見学中に、突然石を投げつけられる

厳粛《げんしゅく》な空気の中、解体作業は進み、いよいよ腹部を開ける段階になりました。私たちはちょっとでも血管を見せていただこうと思い、祭壇に置かれた遺体に近づきました。

そのとたんにぼーんというにぶい音が聞こえ、私のとなりにいた大学院生が突然うずくまりました。そのにぶい音は腰のあたりに石が当たった音でした。振り返ると遺族の人が石を投げているのです。あっけにとられているうちに、次々に私たちをめがけて拳大の石が飛んできます。しかも、手で投げているのではなくて、飛び道具を使っているのです。皮の紐《ひも》のようなものに石を入れて、くるくるっと回すと、弾丸のように石が水平にすごい勢いで飛んできます。

こんな石が頭にでも当たったら、とたんに脳出血を起こしてしまいます。私たちは「逃げ

ろ！」と叫んで、あわてて走り始めました。ところが、そこは標高三八〇〇メートル、しかも、地面は石だらけです。空気が薄いので息が苦しくて仕方ありません。必死になって逃げましたが、あまりに苦しいので、急性の高山病になって死んでしまうのではないかと思ったぐらいです。そこで逃げるのをあきらめて、今度は「みんな伏せろ」と叫んで、地面に伏せました。

するると、間もなく石は飛んでこなくなりました。しかし、帰るわけにもいかないので、じっと伏せて待っていました。その間にもすっかり夜は明けて、お葬式は進んでいきます。本当に困ってしまいましたが、どうすることもできません。そのまま我慢して伏せていたら、中国の人民解放軍がジープでやってきて、助けてくれました。

なぜこんなことが起こったのか、あとで聞いたことによると、中国人医師が同行していたのがいけなかったようです。いわれてみれば、葬式が始まる前に親戚の人がじいっと私たちの顔を凝視《ぎょうし》していたのを思い出しました。約束では日本人が調査に行くことになっていたので、本当に日本人かどうか確かめていたのです。しかし、このときは中国人医師の研究者も同行しており、私たちは中国語で会話をしていたので、約束が違う、ということになったようでした。

この鳥葬を見学する前に、私たちは現地の心臓病の子供や感染症にかかった人などを診察していました。そして、この医療活動は大変感謝されていました。そのこともあって、普通は見ることができない鳥葬を見学することができたのです。現地では偉いお坊さんに、感謝の印として麻の布を肩にかける風習がありますが、よほど感謝の気持ちを表したかったのでしょう、私たちはお坊さんではないにもかかわらず、帰るときに、麻の布をたくさんかけてもらいました。

文化大革命以来、チベットと中国の関係はよくありません。文革のときに中国人は、チベット人が一番大切にしている寺をつぶし、仏像の首をはねたりしているのです。さらにまた、観音様の化身であるダライ・ラマは国外追放のままなのです。中国人に対しては恨み骨《こつ》髄《づい》といった人もいるのでしょう。ですから遠来の日本人ならともかく、神聖なお葬式の場に中国人を連れてくるなどというのはもってのほかということで、石を投げられてしまったのでした。

先祖の魂が宿っている魚は、食べられない

このようなことがあり、結局、血管を見ることはできなかったので、チベットの急死の原因が脳卒中なのか、心臓病なのかはまだわかっていません。しかし、とにかく血管の病気であることは間違いないようです。先にも述べましたが、チベットで血管の病気が多い原因

は、塩の害を防ぐ野菜・果物がないということ、それに、血管にいい影響を与えるたんぱく質が摂れないということにあります。

チベットでたんぱく質を十分に摂れないのは、殺生をしてはならないという宗教的戒律があるために、動物の肉が食べられないことも一つの大きな要因です。唯一ヤクだけは例外で、食べてもいいことになっていますが、先に述べたように保存用に塩漬けにされる場合が多く、かえって塩の量を増やす結果になっています。

ではほかの国では重要なたんぱく源となっている魚はどうかというと、それも一切食べることができません。

それは、魚には先祖の魂が宿っていると信じられているからなのですが、なぜそう信じられているのかというと、人が死んだとき、鳥葬のほかに水葬にして、遺体を魚に食べてもらうことがあるからなのです。ですから、川辺には魚が食べきれない骨や髑髏《しゃれこうべ》が転がっていたりします。

そこで、なんとか良質のたんぱく質を食べてもらいたいと思い、魚を養殖することを思いつきました。チベットの人たちがヤクを食べることができるのは、家畜として、人に飼われているものは食べてもいい、という考え方に由来するようなのです。それなら、せっかく大きな湖や川があるのです。そこで今までチベットにない魚を牧場のような形で養殖すれば問題ないだろう。そう考えて、寒いところでも養殖できる淡水魚がいないか、日本の漁業関係者に相談してみました。そうしたところ、いわなが最適ではないか、と教えていただきました。

いわなの養殖には、岐阜県の漁業組合が成功しています。その岐阜の漁業組合の人に事情を話したところ、チベットの人々の健康のためになるのなら大いに協力しましょう、と快い返事をいただきました。

準備は整いました。あとは、チベットで実行してもらうだけです。そこで、日本で開いた国際学会にチベットの厚生次官を招待して、件《くだん》の提案を行いました。ところが、厚生次官の答えは、やはり形が魚だったら絶対に食べられないという、がっかりさせるものでした。これは日本から持ってきたものだから、チベットの先祖の魂とは関係ないと説明すれば現地の人にも納得してもらえるのではないかと食い下がりましたが、答えは同じでした。

チベット暴動と夢のチョチョス豆輸入計画

そこで、次に考えたのが、南米のアンデスの高地に自生《じせい》しているチョチョスという豆をチベットに植える計画です。このチョチョス豆には、たんぱく質のほかにカルシウム、カリウムやマグネシウム、食物繊維も多く、血圧にいいものがすべて含まれています。標高四〇〇

○メートルのとうもろこしでも育たないようなところでも育つ丈夫な豆で、この豆を食べているエクアドルのビルカバンバやペルーの人々には、ほとんど高血圧の人がいません。チョチョス豆なら産地とほぼ同じ標高で気候や土地の条件も似ているチベットでも育つに違いない、と考えたのです。

また、血圧を下げる働きのあるタウリンの粉末をもって行くことも考えました。チベットの主食である、大麦の粉で作ったツァンバという食べ物に、魚に含まれるアミノ酸の一種、タウリンを混ぜて食べてもらおうと考えたわけです。昔、日本でビタミンが不足していたときに、米にビタミンを混ぜて強化米を作ったように、ツァンバにタウリンを混ぜて食べてもらい、血圧が下がることを実証してもらいたい、と思ったのです。

そこで、一九八八年に、チョチョス豆とタウリンをチベットに届けようと、上海《シャンハイ》まで行きました。ところが、上海で何日待ってもチベット行きのチケットが取れません。出張の日程も限られているので、困ってしまい日本に電話をかけると、秘書があわてた様子で「先生、今どこにいるんですか。日本では大騒ぎになってますよ」と言うのです。聞けば、チベットで中国支配に反対する人々の暴動が起こり、その中で外国人が捕まっているとのこと。中国のTVでは全然報道されていませんでしたが、日本のTVでは大きなニュースになっていて、みんなが心配していたのでした。

仕方がないので、そのときはチベット行きを中止して帰国せざるをえませんでした。そこで豆だけをチベットに送りました。残念なことに、これも実際には着かなかったようですが、まだ私はあきらめていません。またいつか、チベットまでチョチョス豆を持って行って、チベットの山中でも無事に育つかどうか実験したいのです。そしてタウリン入りのツァンバを食べてもらって、その効果をチベットの人々にも実感してもらいたいと考えています。

■チベットの短命の原因

●塩茶、バター茶で塩分、脂肪分を摂りすぎている。

●宗教上の理由から魚を食べないので、良質のたんぱく質やタウリン、魚油を摂ることができない。

●高地のため、肉、野菜、果物の収穫ができず、食べられないため、過剰に摂取している塩分の害を防ぐことができない。

魚を食べないネパールの人々

カトマンズ空港のずるがしこいポーターたち

チベットの南、ヒマラヤ山脈を抱えるネパール王国は、いろいろな意味でチベットとよく似たところです。どちらも険しい山中にあり、チベットは主に仏教、ネパールではヒンズー教という違いはありますが、日ごろから神や仏を敬《うやま》う、信心深い人々が住んでいる点も似ています。

このネパールの調査に出かけたのは、一九九二年の春のこと。ヒマラヤ山脈の麓にあるナ

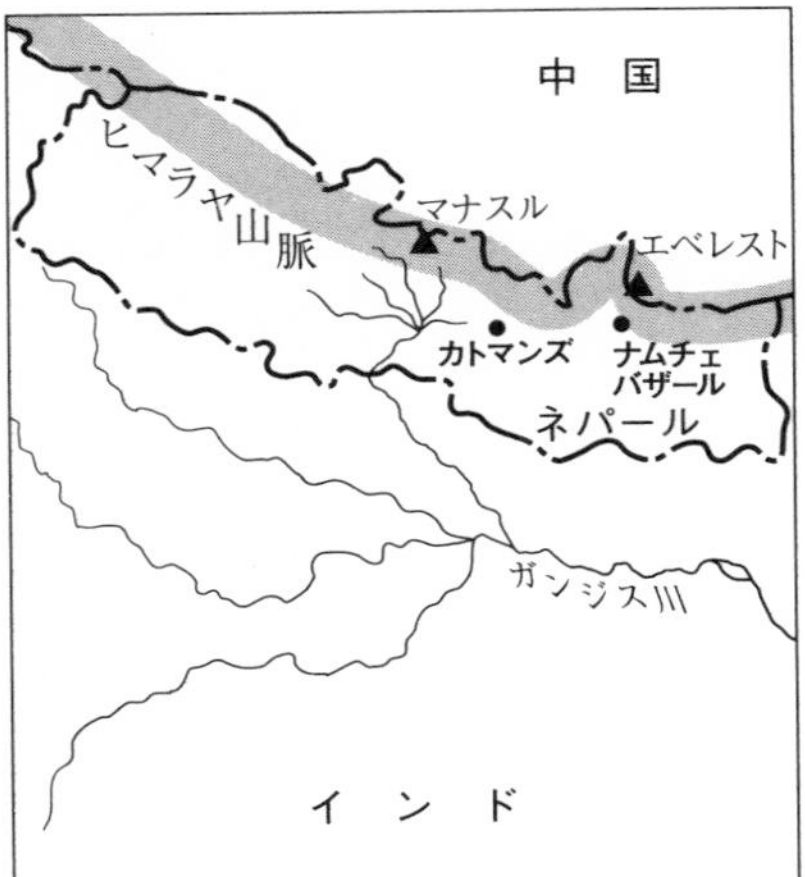

ムチェバザールという町を訪れました。

まずはタイのバンコクから飛行機で、ネパール唯一の国際空港があるカトマンズに降り立ちます。この空港は地形や気象の関係から離着陸が難しく、パイロットにはかなり高度な技術が要求されます。実際、私たちが調査から帰ったほんの二週間後、モンスーンの季節に事故が二回も起き、多数の犠牲者が出てしまいました。

私たちの飛行機が無事着陸して、ほっとしたのも束の間のこと。飛行機に預けていた荷物を受け取るところで、大勢のポーターに取り囲まれてしまいました。彼らは、私たちが調査のために持ち込んだ大量の機材や荷物に群がって、口々にチップを要求するのです。

この中で一人、二〇ドルくれれば税関をスムーズに通過させてあげるから、といってくる者がいました。私たちは、それなら全員の分、といって、彼に二〇ドル渡したところ、ほかのポーターが自分にも二〇ドル、といって寄ってきます。二〇ドルせしめたポーターに「それは皆の分だ」と言っても知らん顔。あきれてしまってさっさと税関に向かうと、実は何の問題もなくパスできるのでした。

私たちがこんな目にあったのは、ネパールが長い間イギリス領だったことと関係があるようです。チップの習慣はそのころもたらされたものでしょう。しかも、独立後は外国人観光客が落としていく外貨が大きな収入源になっています。着いた早々手荒い歓迎を受けたのは、こういった経済的な事情が背景になっているのでした。

税関を通過したあとも、チャーターしていたバスめがけてポーターがやってきます。ここでまたつかまったら、何を要求されるかわからないので、荷物が全部あることを確認すると、私たちはすぐにバスに飛び乗ってカトマンズ市内に向かったのでした。

ガンジス川のほとりにあったホスピスの原型

カトマンズは、車と人と牛がひしめき合い、ほこりが充満している町でした。通りには、オート三輪や「リクシャー」という幌つきの客車を引く自転車、古い自動車が目立ちます。排気ガスの量も相当なもので、空気の悪さは日本以上です。

人の往来も多く、現地の人のほかに、外国人の登山者や、長髪にTシャツのヒッピーたちの姿も見かけました。

車から町並みを見ていると、空港の近くにレンガを積み重ねただけの粗末な小屋の集落がありました。案内してくれた人の説明によると、田舎のほうから出てきた貧困者の家とのこと。都市化、近代化のひずみを見るような気がしました。

カトマンズのマーケットに並べられている食べ物や品物は、思いのほか種類が豊富です。驚いたのは、人間の頭蓋骨《ずがいこつ》で作ったお椀などが売られていること。おそらく宗教的な目的で

カトマンズのマーケット。ここは都会なので食べ物も比較的豊富。

使うのでしょうが、私たちには考えもつかないことです。

ガンジス川にも行ってみました。といっても、ここは上流ですが、ほとりには、小屋のような建物が並んでいるところがありました。これは、病院で手がつくせない重病の患者が、最後の日々を過ごすところだそうです。信心深いネパールの人々は、死ぬときはガンジス川に戻って死に、遺体をガンジスに流してもらうことが最大の願いです。川のふちにある小屋はお寺が管理している建物で、死期が迫った人々に心のやすらぎを与える場所であり、ある意味ではホスピスの原型といえるところです。

亡くなった人は、金持ちであれば薪を

積んで荼毘《だび》に付すのですが、薪を買えない貧しい人も多く、そういった人々はわらを燃やして荼毘に付します。もちろんわらでは遺体を全部燃やすことはできないので燃え残ってしまいます。そして、その燃え残った遺体はそのままガンジス川に流してしまいます。しかし、その下流では、同じ川の水で米を洗っているのです。このように、私たちには想像もつかないような空間がネパールにはありました。

カトマンズから調査地であるナムチェバザールまでは、ヘリコプターをチャーターしました。重い機材があるので、私たちは二機しかない王族専用の大型ヘリコプターのうちの一機を特別に使わせてもらったのでした。

ナムチェバザールは標高三四〇〇メートルの高地にあるため、気圧が低く、空気が薄いので、少し歩くだけで息切れがします。とてもではありませんが、荷物を担いで歩くことなどできません。そこで、シェルパの助けを借りてようやく、荷物を運ぶことができました。

シェルパは外国からの登山客のガイドをすることが多いので、ガイドという職業を指すと誤解されがちですが、実は山岳民族の名前です。

顔も、チベット人と同じように日本人によく似ています。中国の客家《ハッカ》の項でも述べましたが、驚いたのは、数の数え方が日本語とそっくりなこと。イッ（一）、ニー（二）、スン（三）、シー（四）、ンガー（五）、トゥク（六）、……チュー（一〇）といった具合なのです。

思わず「あなた方は私たち日本人の祖先だ」と言ったところ喜んでくれて、スムーズに検診ができたのでした。

お風呂に入らないのは厳しい自然と共存していくための知恵

滞在中に困ったことは、お風呂がないことです。チベットでもそうでしたが、ネパールでも現地の人はお風呂に入りません。

水は毎朝子供が遠くの谷から汲んでくる貴重品なので、ふんだんに使うことができないのです。私たちもそう思うと無駄使いができなくなって、滞在中は毎朝コップ一杯の水で口をゆすぎ、顔を洗っていました。最近は外国からの登山客や観光客のために、シャワーが使えるところもありますが、そこでも桶に汲んだ水をためて流しているのです。

また、お湯をわかす燃料もほとんどありません。高地のため木があまり育たないので、燃やすための薪がないのです。料理をするときに必要な燃料はヤクの糞を使います。お湯をわかすために木を切りすぎたところ、二度と木が生えなくなったはげ山も見ました。このようなこともあり、お風呂のためのお湯をわかすようなことはないのです。

しかし、実際は、お風呂に入らなくても空気が乾燥しているので、こすれば身体の汚れは落ちてしまいます。寒いのでうっかり風呂になど入ったらかぜをひいてしまうので、むしろ入らないほうがいいのかもしれません。

以前、ネパールのある地域で谷から水を引いてきて、水がたっぷりと使えるような施設を作ったことがあるそうです。しかし、下水道がないので、生活排水で環境が汚れてしまい、せっかく作った上水道を取り外してしまったということでした。

水や燃料を大量に使うことができる生活は確かに便利ですが、そのことが環境汚染につながってしまうのです。ネパールやチベットの人たちがお風呂に入らないのは、厳しい自然と共存していくための知恵でもあるのでしょう。

ネパールの食生活は高血圧を作る

検診を行ったナムチェバザールは人口約九〇〇人、人々は登山ガイドやおみやげ屋、農業などを生活の糧《かて》としています。このときの検診で現地の人のまとめ役をしてくれたラクパ・テンジンさんは、登山家の今井通子《いまいみちこ》さんのガイドをしたこともある大の親日家でした。

ここには地名の通りバザール（市場）があり、行商人たちが遠いところから売り物を担いで集まってきます。車が通れる道がない山の中なので、みんな何日もかけて歩いてきます。売られているものは、服や布などの日用品から食べ物まで、さまざまです。

しかし、ここでは、野菜や果物がなかなか手に入りません。近くの畑ではじゃがいもや大

子供たちがわずかばかりの野菜を並べる、ナムチェバザールのマーケット。

麦は穫れますが、気候が厳しいので緑黄色野菜が育たないのです。バザールにも野菜・果物はあることはありますが、それほどたくさん売られているわけではなく、毎日食べるというわけにはいかないようです。

たんぱく源としては、たまにヤクの肉を食べる程度で、豆が主なたんぱく源になっていました。魚はチベット同様、宗教上の理由から食べません。また、近くに魚が住む川がないので、魚介類を食べたことのある人がいないのです。

お茶もチベットと同じように、岩塩とバターを入れたバター茶を飲んでいます。そのほかに粉乳を入れたミルクティーも飲みます。主食は、炒った大麦をひいた粉をバター茶で練ったツァンバや、じゃがいもとそば粉を練ってバターで焼いたポテトパンケーキ、豆などです。

そしてどの料理にも、独特の臭みがあるヤクの脂を大量に使います。私たちは、この脂の強い食事と、高地症状（低酸素性ストレス）のせいで体調を崩し、胃炎、腹痛、下痢などに悩まされました。

さらに、味付けに塩をたくさん使います。高脂肪と高食塩の組み合わせは、動脈硬化につながり身体によくありません。チベットのラサよりは標高が低く、じゃがいもが穫れるだけ条件がいいとはいうものの、このような食生活では、血圧が高くて当たり前、と検診する前から心配していました。

実際に、二〇歳から八〇歳代の男女一五八人の血圧を測ってみると、約三〇％の人が高血圧または高血圧に近い血圧で、なんと四七歳から五八歳の人では、約半数に高血圧が認められました。コレステロール値も、日本の沖縄県や島根県などに比べると高い数値が出ました。太った人も多く、動物性の脂肪を過剰に摂取していることが確認されました。

学問の力でネパールの人たちを健康にしたい

こんなにも高血圧の人が多い一番の原因は、魚を食べない食習慣にあると私は考えました。

屋外で血圧測定。血圧の高い人が多かった。

魚介類に含まれるタウリンというアミノ酸には、血圧を下げる働きがあることが、脳卒中ラットを使った実験からもわかっています。ネパールの人は魚をほとんど食べないので、尿に出てくるタウリンの量も非常にわずかなものでした。

そこで、私たちはこのタウリンを飲んでもらい、血圧にいい影響が表れることを確かめることにしました。軽症の高血圧、境界域高血圧の人によく説明をし、承諾してくれた一一人にタウリンの粉末を飲んでもらうことにしたのです。軽症の人を選んだのは、重症の高血圧の人では、万一何かあったときにこのことが原因だと思われては困るからです。

タウリンは水に簡単に溶けるので、主

食のツァンバに混ぜてもいいし、お茶を飲むときに混ぜても摂ることができます。このようにして、毎食一グラム、一日で三グラムずつのタウリンを二カ月間にわたって飲んでもらいました。

私たちは、そこに二カ月の間ずっといるわけにはいかなかったので、最初に立ち会って、あとは大学院の学生にまかせていました。そしていよいよ二カ月が過ぎて、再び現地を訪れ血圧を測ってみると、みごとに血圧が下がっていたのです。タウリンを飲む前の一一人の血圧の平均は、最高が約一五三、最低が約九三でしたが、二カ月後には平均で最高一三八、最低八四と、はっきりと低くなっていることが確認されたのでした。

この実験で、タウリンが足りない場合には、それを補えば血圧が下がるということが確かめられました。このタウリンは一般的には一日に六グラムぐらい摂取しないと血圧に影響しないと考えられていますが、ネパールの人たちのように欠乏している人にとっては、一日に三グラムでも効果が如実《にょじつ》に現れました。

ネパールの人たちは確かに血圧が高くなる食生活を営んでいます。しかし、その食生活に足りないものを補っていけば、その土地で健康な暮らしを築いていくことができるはずです。今の学問の力があれば、不足しているたんぱく質やタウリンを摂るためにいろいろな工夫ができるでしょう。たとえば、チョチョス豆を栽培して食べてもらうのも、一つの手段です。

また、魚の形がいけない、というのであれば、日本の水産加工技術で、魚をかまぼこにしてしまって、有効成分を摂ってもらうこともできます。お茶にはバターを入れるかわりにミルクを入れるようにすれば、少しでも脂肪の量を減らすことができます。私たちもバター茶ではなくミルクティーを飲むように勧めてきました。

このように現地の宗教や風習を大きく変えるようなことをしなくても、食事や栄養を改善することはできるのです。その土地の暮らしぶりや信仰を尊重し、大切にしながら、長寿に向かう手助けができればと思っています。

■ネパールの短命の原因

●気候が厳しく、野菜・果物、とくに緑黄色野菜がほとんど食べられない。

●岩塩とバターを入れたバター茶で、塩分と脂肪分を同時に摂っている。

●宗教上の理由から魚を食べないため、たんぱく質やタウリン、魚油を摂ることができない。

フィンランド、ブルガリア、カナダの悲劇

フィンランドの今までの常識を覆す調査結果

中央アジアにあるチベット、ネパールの二つの短命地域を見てきましたが、健康的とはいいがたい食生活をしているのは何もこの地域だけではありません。ヨーロッパなどの、いわゆる先進国といわれる国々でも、身体に悪い食生活を送っているために、早死にする人が多かったり、高血圧の人がたくさんいる国はあるのです。

たとえばフィンランドは、心筋梗塞《しんきんこうそく》による死亡率が世界一高いという不名誉な記録をもっ

ています。私たちが調査してみたところ、血圧と一日の食塩摂取量はそれほど悪い値ではないのに、コレステロール値はほとんどトップといってもいいぐらいの高い値を示しました。また、肥満度も、どちらかといえば高いものになっていました。

これは、気候が厳しくカロリーを必要とするために、脂を摂取せざるをえないことが原因ではないかと考えられます。

このフィンランドで数年前、非常にショッキングな研究結果が発表されました。

これは、フィンランドの医学者のグループが、フィンランドの実業家一二〇〇人を対象に行った調査です。この四〇歳から五五歳までの一二〇〇人の人たちを六〇〇人ずつA、Bの二つのグループに分け、Aグループにはなるべく脂肪分の少ない食事を、Bグループにはとくに対策を施さない食事を食べてもらいました。

普通に考えれば、低脂肪の食事をしているAグループのほうが心筋梗塞が少なく、長生きすると思われます。実際に五年間追跡調査をすると、予想どおりAグループは血液中のコレステロール値が低いという結果が出ました。

ところが、その後五年間、二つのグループをひき続き観察したところ、Aグループのほうが死亡する人が多くなってきたのです。これはまったく常識とは違う結果です。念のためさらに五年たって調べると、やはりAグループの人のほうが死亡率が高く、しかも、心筋梗塞による死亡も多いことがわかったのです。

心筋梗塞は一般的に脂肪分を摂りすぎないようにすれば防げることになっています。それでは、なぜこんなことが起こってしまったのでしょうか。

植物性の油ばかり摂るのは危険!?

そこでAグループの人たちが食べていた食事内容をよく調べたところ、血液中のコレステロール値を少なくするため、動物性の脂を摂らないようにして、植物性の油を摂っていたことがわかりました。

植物性の油に含まれるリノール酸は、体内でアラキドン酸という酸を作りますが、実はこの酸は血栓《けっせん》（血液の流れを止める血液のかたまり）を作りやすくする場合があるのです。コレステロールを少なくするために摂っていた、それまで健康にいいと信じられてきた植物性の油が、こればかり摂ることによって心筋梗塞や脳梗塞の原因になってしまっていたのでした。

このように、フィンランドでは、コレステロール値を下げるために植物性の油にだけ頼っていたのが、悪い結果を生んでしまったのでした。

この点、日本では、コレステロールを摂りすぎないようにする場合には、魚や豆を食べることが一般的です。そして、この魚に含まれる油が血栓を防いでくれるのです。

フィンランドでも日本と同じように植物性の油のかわりに、魚の油をとるようにすればコレステロールの問題は解決できるはずです。しかし、フィンランドの人は、周囲の湖や川に魚がたくさんいるにもかかわらず、なぜかあまり魚を食べません。調査にもその食習慣が如《によ》実《じつ》に現れ、尿の中に出てくる魚の油は日本人の三分の一、魚に多い血圧を下げる働きのあるタウリンにいたっては、日本人の一〇分の一しかなかったのです。

しかし、コレステロール値を必要以上に下げすぎると、逆に寿命を縮める可能性もあります。私たちの脳卒中ラットを使った実験では、コレステロール値を下げすぎると、脳の血管がもろくなり、脳卒中になりやすい、という結果が出ているからです。ということは、Aグループの寿命が縮まったのは、コレステロールになる脂肪分の摂取量を減らしたこと自体が原因だったということも十分考えられるのです。

より健康に生きるために、食生活を改善をすることは大切なことです。しかし、そのために、ある一つの食品を片寄って摂るようなことをすると、このフィンランドのように逆の結果を生んでしまうこともあるのです。また、摂りすぎている要素を減らそうとするあまり、ほかの必要な栄養分まで摂れなくなってしまう危険性もあります。フィンランドでは、事実コレステロール値を下げようとして、動物性の食べ物を避けたために、ビタミンEや銅などの身体にいい微量元素も足りなくなっていた、ということも起きていました。

長生きできる食生活に変えていくということで、「あれを食べてはいけない」「これを食べなければいけない」などと制限をすることがありますが、むしろいろいろな食べ物をバランスよく食べるほうが、成人病を予防し、健康に長生きすることにつながるのです。

急激な社会変化が寿命を縮めたブルガリア

ソ連の解体や、ベルリンの壁の崩壊などで政治的・経済的に劇的な変化を遂げた東ヨーロッパの国々。実は食生活や健康の面でも急激な変化が表れています。

たとえば、ブルガリアなどは、日本でもヨーグルトの国として、健康的なイメージがもたれています。しかし、残念ながら、ブルガリアを含め東欧諸国の人々の寿命が短くなっているのです。このようになった原因の一つに伝統的な食生活が破壊されてきたことがあげられます。ブルガリアなどでは、かつては伝統的な身体にいい食事をしていたのではないか、と思われるのですが、今は、それがなくなっているのです。

伝統的な食事がなくなってしまったのは、西側の食品が急激に多く入ってきたことによります。その代表的な食品にバターがあげられます。西側諸国では、バターの動物性脂肪が健康を害するという理由で、消費量が減っており、バターがあり余っています。植物性脂肪の

ブルガリアの検診した村で、花嫁さんとダンスをさせてもらう。

入ったマーガリンのほうを人々が買うので、いっそのこと燃やして発電をし電気を作ったほうがいい、といわれるぐらいバターがあり余っているのです。そこで、西側諸国は、この余ったバターを、旧共産圏の国々へ安い値段でどんどん輸出し始めたのです。

私たちが調査に行ったのは一九八七年から八九年で、東欧諸国が社会主義経済から市場経済へ移行しているときで、ちょうどその安いバターが出回っていました。かつて貧しかったころは、なかなか食べられなかったバターが安くなったということで、みんな大量に食べているのです。植物性脂肪ばかりを多く摂るのも危険ですが、動物性脂肪を多く摂ればやはりコレステロール値は高くなります。

しかも、主食のパンも、かつては精製していない黒パンを食べていましたが、白パンが中心になっていました。黒パンには食物繊維を始め、ビタミン類などいろいろな栄養素がふんだんに入っていますが、白パンには栄養素はあまり入っていません。ちょうど日本が豊かになって玄米から白米に切り替わり、食物繊維やビタミンなどが摂れなくなったのと同じような現象が起こっていたのです。

このような食生活をしていては、検診の成績が悪くなっても当たり前です。一日の食塩摂取量は一一グラム以上、コレステロール値も成績の悪いほうから数えたほうが早いぐらい高く、高血圧、肥満の人も多くなっていました。

ブルガリアはもともと気候がよく、野菜・果物なども豊富に穫れるところです。牧畜も盛んな土地柄なので、以前は有名なヨーグルトをきっと毎日のように食べて、コーカサスのように長寿を満喫していたのではないでしょうか。

伝統的な食生活していれば、肥満などの問題は起こらなかったのではないかと思われます。今ではパンやバターに代表される、一見豊かに見える西欧の食べ物が、かえって寿命を縮めています。その意味で、東欧では大変残念な現実を目のあたりにすることになってしまいました。

カナダの最も身体によくない魚の調理法

もう一つ、心筋梗塞が非常に多い地域に、カナダのニューファンドランド島のセントジョーンズというところがあります。

ここは一四九七年、イギリス人によって発見されました。ニューファンドランドとは「新しく発見された土地」という意味で、カナダ連邦には一九四九年に加盟しています。

このニューファンドランド沖は、世界の三大漁場の一つです。沿岸海流、北大西洋海流、ラブラドル海流と三つの海流がぶつかり、魚が非常にたくさん獲れます。

私たちは、魚を食べているのだからきっと血圧も低く、心臓病も少ないのではないか、と期待して、一九八九年一一月に調査に行きました。ところが、予想に反して、ここは一番悪い結果が出てしまいました。血圧の高さ、食塩の摂取量、コレステロール値、肥満度、どれをとっても調査に行った地域の中で一、二を争うぐらいの悪い成績です。もちろん心筋梗塞も多く、循環器疾患の死亡率はがんの死亡率を大きく上回っていました。

どうしてこんなことが起こるのか、セントジョーンズの人々の食生活をよく調べてみると、魚の食べ方に問題があることがわかりました。

セントジョーンズには魚を水揚げする港があり、水揚げした魚を、本国やアメリカに送るために、ここにある加工場で塩漬けにして、樽に詰めます。セントジョーンズの人たちは新鮮な魚が食べられるにもかかわらず、この塩漬けにした魚を食べているのです。しかも、大きな魚を肉の代用として考えているせいか、動物性の脂で焼いたり、カツレツのように衣をつけて油で揚げたりして食べています。

いくら魚を食べるといっても、このように塩を大量に使って、しかも、動物性の脂まで加えて食べていたのでは、魚を食べるメリットはまったくありません。塩分と動物性の脂の組み合わせは、最も高血圧によくないのです。

さらに残念なことに、このニューファンドランド島は北のほうにあり、しかも、島なので、野菜や果物が非常に少ないのです。これでは塩分の害を打ち消してくれるカリウムや食物繊維を含んだ食べ物を摂ることができません。

魚は食べ方に気をつければ、高血圧や心筋梗塞を防いでくれる大変いい食べ物です。このような身体によくない加工方法はなるべく早くやめて、新鮮な魚をそのまま食べるように食生活を改善することが必要だと、現地でも力説してきました。

ニューファンドランド島の住民の健康状態を考えるにつけ、日本の魚の料理方法を知ってほしいと、つくづく思うのでした。

■フィンランド、ブルガリア、カナダの短命の原因

（フィンランド）

●一般に動物性脂肪の摂りすぎが心筋梗塞の原因になる場合が多い、これを改めようとして、植物性油のみを摂りすぎ、かえって心筋梗塞を増やした例もあった。

●魚をあまり食べないので、心筋梗塞・脳梗塞を防ぐタウリンや魚油などの摂取量が少ない。

（ブルガリア）

●西側から入ったバターを食べるようになり、コレステロール値が上がってしまった。

●小麦粉を精製して作る白パンが普及し、食物繊維やビタミン類などが摂れなくなった。

（カナダ＝ニューファンドランド島）

●塩漬けにした魚を、動物性脂を使って調理しているため、塩分と脂肪分を一緒に摂取することになり、これが高血圧をひき起こしている。

●塩分の害を打ち消す野菜・果物の摂取量が非常に少ない。

ブラジル人の肉食と日系移民の食事

ブラジルの粋なカウボーイ、ガウチョ

一九九〇年に調査したブラジルは、日本の二〇倍以上の面積を誇る広大な国です。もともとはインディオが静かな暮らしをしていた土地でしたが、一六世紀にポルトガルが進出し植民地としたため、多くのポルトガル人が本国から移り住みました。その後スペイン、ドイツ、イタリア、日本などからさまざまな人種が入植し、現在のような多民族国家ができあがりました。ですから、ブラジルのどの町を歩いていても、さまざまな肌の色や顔立ちの人に出会

います。まさにブラジルは、人種のるつぼともいえる国なのです。

私たちが最初に向かったのは、ブラジル南部最大の都市、人口二〇〇万人を抱えるポルトアレグレです。現地入りした八月は、南半球のブラジルでは冬にあたり、日によってはかなり肌寒く感じることもありました。

ここで私たちは、現地で検診に協力してくださる老年医学研究所の森口幸雄《もりぐちゆきお》先生にお会いすることができました。先生は一九七〇年以来、マイクロバスを使って、日系人だけでなくそこに住む人々のために定期的に巡回診療をされています。私たちは先生と一緒に、先生の巡回先の一つ、ポルトアレグレから南西へ四〇〇キロほど内陸に入ったバジェという町へ検診に向かいました。

バジェは南米でパンパと呼ばれる大草原の中にある町です。内陸部に位置するため気温の差が激しく、冬は氷点下になることもあるところです。私たちが訪問していたときも、夜は気温が一〇度以下に下がりました。

バジェは世界一牛肉の安いところといわれています。ブラジルの国土は多くが草原でおおわれ、牛の食糧となる牧草が豊富です。そのため、ブラジルではただ放っておくだけで何千頭もの牛が育つといわれています。そんなブラジルの中にあって、このバジェは、とくに牧畜が盛んなところとしてブラジル全土に知られています。牛肉が世界一安いといわれるのは、そんな背景があるからなのです。

バジェでは、ガウチョと呼ばれるカウボーイの粋な姿をたくさん見ることができます。ここで私たちは、牧場で働くガウチョたちの昼食風景を見せてもらうことにしました。

彼らの昼食はホステーラと呼ばれる、牛のあばら肉を焼いたものです。調理法としてはただ焼くだけの単純なものですが、焼き方に特徴があります。赤く燃えた種火を網全面に敷きつめ、その種火から少し離したところに肉をつるし、あぶるようにして焼くのです。これなら焦げもできず、適当に脂も落ちるので、健康面に関していえば理にかなった調理法だと思いました。

味付けには、大きな岩塩をお湯に溶かしたものを、肉にまんべんなくかけるだけで、それ以外の味付けはしません。中のほうは肉のうまみが塩味を消しているせいか、それほど塩気を感じませんでしたが、表面は、塩分の摂りすぎではないかと心配になるほどの塩辛さでした。

ガウチョたちは、このホステーラを各自のナイフで、器用に取り分けて食べます。肉のほかにはゆでたお米を食べ、食後にシュマロンという粉茶を金属製のストローで飲みます。このように肉があればほかには何もいらない、という感じの食事内容でした。重労働であるガウチョの仕事をこなすためには、これぐらいボリュームのある食事でないと、十分でないの

ブラジルの焼き肉、シュラスコを持つ著者。

かもしれませんが、それにしても肉の量が多いような気がしました。

大きな肉のかたまりをまるごと焼く、ブラジルの焼き肉

ブラジル随一の大都会、サンパウロは、人口一〇〇〇万人以上、ブラジルの国民総生産の半分以上を生み出す活気にあふれた町です。都会ではどんなものを食べているのかと思い、レストランをのぞいてみました。

ブラジルでポピュラーな料理といえば、やはりシュラスコという焼き肉料理でしょう。これは大きなブロック肉を串に刺してあぶるように焼き、表面から焼けた肉をそぎ取って食べる豪快な料理です。

しかし、大きいまま焼くので、肉の細部までは火が通らず全体としては脂肪分があまり落ちません。しかも、味付けには塩をたっぷり使っています。塩を溶かして濃い塩の汁を作り、それをかけながら焼くこともあれば、岩塩を直接肉につけて焼くこともあります。

そして、シュラスコはたいていのレストランでは食べ放題になっているので、現地の人は実に大量に食べます。レストランのボーイさんに頼んで、あるお客さんが注文したのと同じ量を別の皿に切り分けてもらい、あとで重量を量ったところ、約五〇〇グラムもありました。ボーイさんによると、これぐらい食べるのは普通だそうです。

コーカサスやシルクロードでも焼き肉を食べていましたが、それらは小さく切ってよけいな脂を落とし、香辛料を使った味付けで、あまり塩味の効いたものではありませんでした。これらに比べると、バジェで食べられていたホステーラやシュラスコは脂と塩が多すぎて、健康的な食べ物とはいえません。

こうした料理を日常的に食べていれば、心筋梗塞《しんきんこうそく》になる確率もさぞ高いことでしょう。バジェで実際に検診してみると、血圧の高い人が大勢いることがわかりました。カロリーの摂取量も多いので、肥満度も高いのです。平均寿命も、日本女性は八三歳（沖縄の女性なら八四歳）ですが、それに比べてブラジルの女性の平均寿命は短く七〇歳にも達していないということがわかりました。

また、亡くなった人の死因を聞き取り調査すると、心配したとおり心臓死が多いようです。やはりこのような食生活が、原因となっているのでした。

同じ国内でも地域によって食べているものが違うブラジル

一般的なブラジルの人は肉に塩をたっぷりかけて焼く、動脈硬化になりやすい食事をしているということがわかりましたが、肉食中心でない食事をしている人々も多くいます。

バジェでカウボーイではない、一般家庭を訪問したときは、夕食にカレッテロという混ぜご飯を食べていました。これは、塩抜きした干し肉と、玉ねぎ、トマト、ピーマンをコーン油で炒め、そこにお米とお湯を入れて炊く、ピラフのような食べ物です。干し肉からの塩加減もちょうどよく、野菜もたっぷり入って健康的な一品でした。ここの家庭では、夫婦で市役所に勤めており、「食事はなるべく塩分を少なくするように気を遣っている」とのことでした。

また、ブラジル北部、赤道直下の熱帯雨林を流れるアマゾン川流域の大都市マナウスは、ブラジルでは珍しく、魚がよく食べられているところです。魚市場にはピラニアやアロワナ、ピラルクなどアマゾン川から獲れた魚がたくさん売られていました。

地元で生まれ育った人に、アマゾンの魚料理を数品見せてもらいました。ガルデラーダという料理は、トクナレという二メートルもある魚のぶつ切りにレモンをかけ、油で揚げて、炒めたトマト、玉ねぎ、ピメンツァ（唐辛子の一種）と一緒にお湯に入れて煮込むスープです。味付けは食塩だけですが、魚と野菜から出ただしで、こくのある複雑な味がしました。また、ピラルクのプラザは、ピラルクという一メートルもある淡水魚の切り身を炭焼きにして、レモン、ピメンツァとともに食べるものです。

アマゾン川流域では果物も豊富に穫れ、水上交通の要所であるマナウスには、この果物も豊富に入ってきます。露店には、大きなへちまのような形をしたすいかや、にんにく、サフランなど、たくさんの種類の野菜や果物、それに香辛料が並んでいました。

こうして魚や野菜・果物をたくさん食べることができるのは、大アマゾンの恵みというべきでしょう。ブラジルといっても、肉一辺倒でない健康的な食事をしているところもあるのです。

このように同じブラジルでも、山奥や川のそばなど、場所によって食べているものがかなり違います。世界中からやってきた民族が、さまざまな食文化をもって暮らしているのです。自然環境の豊かさと多民族国家のよさを生かせば、ブラジルの人はより健康にいい食事ができ、天寿《てんじゅ》をまっとうできると思いました。

日系移民の食卓拝見

ブラジルには日本からの移民もたくさん暮らしています。ブラジルの一般的な食事は、日本食とはかなり違った、シュラスコのような肉食主体の食事ですが、日系移民の人たちは、どんな食事をしているのでしょうか。また、同じ日本人でも、日本に住んで日本食を食べ続けている人と、ブラジルに移住して食事の内容が変わった人とでは、どんな違いが出てくるのでしょうか。

一九九〇年に私たちがバジェを訪れたときに、森口先生の巡回診療先であるイボチという入植地に行くことができました。ここには二〇年前に日本人が入植し、現在五〇家族、約二五〇人が住んでいるところです。この人たちは主に農園を経営して、ぶどうや柑橘類《かんきつるい》、野菜を作っています。また、店をもって穫れた作物を小売りをしている人もいました。

ここでは日本人だけでコロニーを作っているので、みんな日本語で話していました。

私たちは、入植者である田中さんの家におじゃましました。お父さんは農閑期を利用して、日本に出稼ぎに出ているとのことで不在でしたが、おじいさん、お母さん、三人の子供の五人で夕食を囲みます。丸いちゃぶ台には、ますの煮付け、ご飯、味噌汁、鶏のチリソース煮、きんぴらごぼう、ソーセージ、生野菜、こんにゃくと、たくさんの皿が並んでいます。

日本食が基本ですが、ブラジルの食材を日本風にアレンジした、折衷《せっちゅう》の料理です。

しかし、ここイボチの日系の入植者の人たちは、ブラジルの平均ほどではありませんが、日本にいる人に比べると、かなりたくさん肉を食べています。「刺身やにぎり鮨も好きですが、肉がないと身体がもちません」とおじいさん。ブラジルの肉をたくさん食べる文化の影響を受けているのでしょう。

ですから、ここの人たちは、脂肪もたくさん摂っているはずです。しかし、脂肪の摂取量が多いからといって、血中のコレステロール値が高い、とは単純にいえません。というのは、ここでは穫れたての新鮮な野菜・果物を、毎日のように食べているからです。野菜・果物に含まれる食物繊維には、コレステロールの吸収を抑える作用があるので、予想したほどコレステロールの値は高くありませんでした。

もともとブラジルは暖かいところなので、放っておいても野菜や果物は穫れますが、日系移民は努力して品質の高い野菜や果物を作っています。この野菜・果物が、肉の摂りすぎによるコレステロールの弊害《へいがい》を防いでいるのです。

ブラジル化された日系人の食事は血圧を上げる

イボチの移民は日本人だけでコロニーを作り、日本語を話し、ブラジルの食材を日本風にアレンジした、折衷の料理を食べていましたが、ほかの地域に移住した日本人はどうでしょうか。

サンパウロには二世、三世はもちろん、戦後になって移住した一世も含め、日系人がたくさんいます。日本語もかなり通じますし、日本食を食べることもできます。

しかし、日本人がたくさん移住したところでも、奥地のほうに行くとポルトガル語しか通じないところがあります。サンパウロから西に八〇〇キロも内陸に入ったところにカンポグランデという町があります。そこにも日系移民が多数住んでいるということで、私たちはさっそく検診させてもらうことにしました。

このカンポグランデに住んでいる日系人は、最初サンパウロに移住した移民の子孫です。サンパウロに移住した人たちが、現在、カンポグランデに住んでいるということには理由がありました。最初に移民した人たちはサンパウロから鉄道を敷設《ふせつ》する仕事につき、レールが延びるたびにその仕事場所を変えていきました。そうしていくうちに、パラグアイやボリビアとの国境近くまで来たところで、鉄道工事の仕事がなくなってしまったのです。その仕事のなくなったところがこのカンポグランデなのでした。そして、彼らはここに定住し農業を始めたのです。

といっても、ここは「大きな密林」という意味のマット・グロッソが州名になっているぐらいの土地です。開墾《かいこん》するには大変な苦労があったことでしょう。

しかし、今では大都会になっていて、日系人が一万二〇〇〇家族も住んでいます。そこで検診をさせてもらったところ、残念なことに心電図に異常が表れる人が多いのです。五〇歳代前半の人々では、日本の倍の割合で異常のある人が見つかりました。

その理由は食生活の調査から明らかになりました。それは魚をほとんど食べないことにありました。カンポグランデでは大きな川があって、巨大な魚がいるにもかかわらず、魚を食べる習慣がないのです。聞き取り調査でも現地の人は「たまに食べることがあっても、せいぜい二週間に一度」という答えでした。

日本にいる日本人は、平均して一週間に四、五回は魚を食べています。サンパウロでも、刺身や寿司が食べられるので、一週間に二回は魚を食べています。週に二回魚を食べるサンパウロの人たちの心電図は、日本の長寿地域である沖縄の人とあまり変わりません。

しかし、二週間に一度しか魚を食べないカンポグランデの人には、心電図の異常が二倍の頻度《ひんど》で表れているのです。

心電図による調査ではブラジルだけでなく、世界中で調べた結果でも同様のデータが出ています。たとえば魚に多く含まれているタウリンが尿に多く出ている地域では、心筋梗塞が明らかに少ないのです。

また、私たちの研究では、魚の油に含まれているＥＰＡ（エイコサペンタエン酸）、ＤＨＡ（ドコサヘキサエン酸）などの不飽和脂肪酸《ふほうわしぼうさん》が血栓《けっせん》の発生を予防すること、血液中の燐脂質《りんししつ》にそれらが六％以上含まれていると、心筋梗塞による死亡が減ることなどがわかっています。日本にいる日本人は、みな六％以上あり、ブラジルに移民した日本人でも、サンパウロで週に二回魚を食べている人は、六％をやや下回るぐらいなのです。

ところがカンポグランデに移住した日本人では、ＥＰＡとＤＨＡの量が三％、サンパウロの半分になってしまうのです。こんなに少なくては血栓や心筋梗塞を予防することができません。

このようなこともあり、カンポグランデの日本人移民の健康状態はあまりよいものではありませんでした。しかし、イボチの人たちのように、魚や味噌汁、こんにゃくなどの日本風の食事を摂っている人々は、カンポグランデのような悪い状態にはなっていません。

同じ移民でも、食生活が違えば、健康状態もこれほど違ってくるのです。ほどほどにブラジル化しているイボチの移民の健康状態と、肉をたくさん食べて魚を食べなくなってしまったカンポグランデの移民の健康状態とを比べると、行きすぎた食生活の西欧化は日本人にとってあまり好ましいものではないということがわかるのです。

ハワイの日系移民と比べてみる

ただ、何でも日本の伝統食がいい、というわけではありません。このことを一番よく表しているのが、ハワイに移民した日本人のデータです。

ハワイに移住すると脳卒中《のうそっちゅう》が激減《げきげん》する、という調査結果があります。心臓死はやや増えるものの、全体的に見ると長生きする傾向にあるのです。ハワイに移住した人は一〇年以上も前に、現在の日本人の平均寿命の水準に達していたというデータもあります。つまり、ハワイへ移住した人たちは、ブラジルへ移住した人とは逆に、日本にいるより長生きしている人が多い、ということになります。

私たちは、ハワイ島のヒロという町で調査を行いました。ここはホノルルにつぐ大きな都市ですが、あまり観光化されておらず、自然に近い生活が残っているところです。

このヒロには、漁業に従事するために移民した沖縄出身の人も多く、ヒロの漁港では、「水産」という日本語が英語になっているぐらいで、現在でも水産業に携《たずさ》わっている日本人がたくさんいます。

調査を行ったところ、長寿の秘訣となる要素がたくさん見つかりました。まず、ハワイは暖かく、一年中果物や魚がとれるので、食べ物を保存するために塩分を使う必要がありません。そのため日本で一番塩分の摂取量が少ない沖縄県よりも、さらに食塩の量が少ないということがわかりました。

そのうえに、塩の害を消してくれる野菜や果物は、日本以上に豊富に穫れます。パイナップルなどは驚くぐらい大量に収穫できるので、たくさん食べることができるのです。

そして、また血管にいい働きをするたんぱく質も、肉と魚、それに豆腐などの大豆から十分に摂れているのです。たんぱく質の摂取方法も日本より肉と魚のバランスがよく、健康的といえます。

このハワイでは、日本の食生活のよいところは残しながら、なおかつ日本食では足りなかったものを補充することができたのです。つまり、食塩を自然に減らしながら、不足していたたんぱく質やカリウムを多く摂ることができるようになったということです。

日本国内でも、伝統的な日本食はどんどん西欧化される傾向にあります。それが、ブラジルのように肉を大量に食べすぎるのではなく、ハワイのようにほどほどに肉を食べ、一方で魚も食べる、そして野菜、果物をもっとたくさん食べるという西欧化なら問題はありません。

このような、よい方向へ向かう変化であれば、それを推進していけばいいのです。しかし、逆に悪い方向に変わる兆しが出てきたら、軌道修正をしていかなければなりません。あれだけいい食事をしていた中国の広州《こうしゅう》は、経済発展の影響で食事が変わり、たった四年で血圧は上がり、心臓病が増えるという残念な事態になってしまいました。こんなことが起こらないように、悪い変化の芽を早いうちに摘んであげるようにしたいのです。私たちは、世界中で行ってきた研究の成果を、このようなことにも役立てたいと思っています。

■ブラジルの短命の原因

●肉に塩をたっぷりつけて食べる焼き肉シュラスコは、塩分と脂肪分を同時に摂る料理で、脂肪分の吸収を促進し、肥満になりやすく高血圧、心筋梗塞をもたらす。

●日系移民の中でもほとんど魚を食べない地域に住んでいる人たちは、タウリンや魚油の摂取量が少なく、心筋梗塞になる率が高い。

●ただし地域によっては、魚も食べ、塩分を控えめにして健康に気を遣っている人々もいる。また豊富な野菜・果物で塩分の害を打ち消しているところもある。

第3章

日本の長寿地域を訪ねて

沖縄、隠岐諸島、四国山中に生きる長寿の知恵

日本一の長寿県、沖縄で長寿の秘訣を探る

日本で一番南に位置する県、沖縄。沖縄本島のほか、一〇〇以上の島々からなるこの土地は亜熱帯に属し、四季を通じて暖かく、気候には恵まれているところです。

この沖縄は、ごく最近まで男女とも日本一の長寿を誇る県でした。残念ながら男性は、少し前に一位の座をほかの県にゆずってしまいましたが、女性は未だに日本一を保っています。

脳卒中《のうそっちゅう》による死亡が国内で一番早く減少し、現在、がん、心臓病、脳卒中による死亡率も日

本一の低さです。平均寿命は全国平均より二、三歳長く、一〇〇歳以上の長寿者は人口一〇万人あたり一八人で、これも文句なく全国トップの座にあります。

そこで、沖縄の長寿の秘密を探るべく、一九九二年一月に調査を行うことにしました。沖縄に着くと、一月なのにとても暖かく、上着がいらないぐらいです。

さっそく町に出て、どんなものが食べられているのかを知るために、沖縄郷土料理の店に入ってみました。まず、つきだしに豆腐よう（唐芙蓉）という豆腐の加工品が出てきました。泡盛《あわもり》につけた米麹《こめこうじ》をすりつぶし、塩、砂糖、紅麹などで味付けしたものに、二、三日陰干しした木綿豆腐を漬け込んで作ったものです。昔の沖縄では琉球王朝の王族しか口にすることができなかった貴重品だそうで、味は上質のカマンベールチーズのような感じでした。

つきだしのあとは、沖縄の家庭料理です。ゴーヤーチャンプルーは、ゴーヤー（にがうり）とカチドーフ（手でちぎった豆腐）を豚の脂で炒めたもの。チャンプルーは、炒めものという意味です。それから豚足を長時間煮込んだ足ティビチ、沖縄の県魚グルクン（たかさご）などに舌鼓を打ちました。グルクンは、このときは空揚げで食べましたが、魚は刺身でもよく食べているそうです。アバサー（はりせんぼん）の味噌汁やミーバイ（はた）の煮付けなども家庭ではよく食べるようです。

昆布が採れないはずの沖縄が、消費量日本一の不思議

沖縄には本土とはひと味違う、いろいろな家庭料理があります。

沖縄料理の特色の一つに、豚肉を使った多彩なメニューがあげられます。ラフテーは皮つきの豚三枚肉などを泡盛で長時間煮込んで味付けした、角煮のようなもの。豚の耳と顔の皮を焼いてゆで、細長く切って湯で洗い、それをきゅうりや大根の千切りと混ぜて酢であえたものは、ミミガー（耳皮）のさしみと呼ばれています。中身の吸物は豚の中身、つまり内臓のすまし汁なのですが、お祝いの席に出されることが多いとのこと。そのほかにもゆでた豚三枚肉と千切りの昆布を炒め煮した昆布イリチーや、骨付きのあばら肉を昆布や大根と煮込んだソーキ汁などがあります。

一般に沖縄では、焼いた豚肉よりも、長時間煮込んだもののほうが好まれるようです。ゆでれば、脂が落ちるので、脂肪分を多く摂らずにすみ、熱で固まったたんぱく質だけを主に食べることができます。これは非常に身体にいい食べ方です。

昆布と豚の内臓を混ぜて食べる料理もあります。たんぱく質と食物繊維、カリウムなどのミネラルを同時に摂ることができる、まさに高血圧を予防するためにあるような料理です。この昆布、沖縄ではあまり採れないのですが、不思議なことに消費量は全国一多いのです。

左は昆布イリチー、右は足ティビチ、上はゴーヤーチャンプルー。

沖縄での昆布の歴史は古く、琉球王朝の時代から、北海道と交易して乾燥昆布を大量に仕入れていたという文献が残っています。きっと、昔から沖縄の人々は昆布が健康食品であることを知っていたのでしょう。

日本人全体の平均より五グラムも少ない塩の摂取量

なんといっても沖縄の食事で一番いいところは、食塩の摂取量が日本一少ないことです。私たちは沖縄のほかに日本では、青森、富山、島根、広島、大分、福岡の七県で調査をしていますが、この七カ所の中で食塩の摂取量が一番少ないのが沖縄でした。確かに、いろいろな豚肉料理を食べても、あっさりした味付けで、塩気がほとんどありません。調査によれば沖縄では一日あたり八グラム程度しか食塩を摂っていないことがわかりました（日本全体の摂取量は約一三グラム）。

そのため、血圧などの測定結果も大変いい成績が出ました。この塩ですが、最近では、食塩と高血圧の関係よりも、食塩と胃がんとの関係のほうが注目を集めています。因果関係がはっきりと証明されてはいませんが、二四時間の尿と食事サンプルを分析する私たちの調査では、食塩の摂取量が多いところは胃がんの発生が多いことがつきとめられています。

塩分を摂りすぎると胃の粘膜に障害が起き、粘膜が薄くなるいわゆる萎縮性胃炎《いしゅくせいいえん》になります。それから粘膜は再生が行われるのですが、その再生した粘膜細胞はがんになりやすくなると考えられているのです。このがんを防ぐ意味でも、食塩を摂らないほうがいいのです。

さらに沖縄では、豚肉や魚をたくさん食べるので、良質のたんぱく質を十分に摂ることができます。日本のほかの地域では、仏教で殺傷《せっしょう》が禁じられていたため、食べる肉の量が少なく、どうしてもたんぱく質が不足しがちでしたが、沖縄では仏教文化の影響が少ないため、肉を多く食べられたわけです。また、その豚肉も、ボイルして食べることが多いので、脂肪分を過剰摂取する心配もありません。内臓も徹底的に利用しているので、内臓に含まれるタウリンや銅などの微量元素、そして塩分を細胞から追いだし血圧を下げる働きのあるマグネシウムも身体にいい影響を与えているのではないかと考えられます。

また、大豆を徹底的に利用している点も沖縄料理の特徴です。豆腐と野菜、ソーセージなどを油で炒めたトーフチャンプルーなど、毎食必ず豆腐料理が出て、身体にいい植物性のたんぱく質を摂っています。こういった食べ物にも長寿の秘訣があるはずです。

隠岐諸島と四国山中に長寿地域があった

沖縄だけでなく、私たちはほかの長寿地域の調査にも行っています。

西日本で二番目の長寿地域、島根県の隠岐《おき》諸島では一九七九年以来何度も調査を実施しています。ここはお年寄りが多く、しかもここ五年間に典型的な心筋梗塞《しんきんこうそく》の発生がゼロというくらい、健康な人が多いところです。

隠岐諸島は島なので、当然魚介類が豊富に獲れ、それを新鮮なまま食べることができます。しかも、獲れたての魚やいかなどを内臓ごと野菜などと一緒に料理して食べているのです。魚介類の内臓には、コレステロール値や血圧を下げるタウリンや、動脈硬化を防ぐ銅などの微量元素がたくさん含まれています。

さらに、隠岐諸島ではわかめなどの海藻もたくさん食べています。海藻に含まれる食物繊維は、塩分を吸着して体外に排出し、脳卒中を予防してくれるということを、私たちは脳卒中ラットの実験でも確かめています。また、海藻には、同じく塩分を排出することのできるカリウムやカルシウム、マグネシウムなどのミネラルが豊富に含まれています。これらの海藻に含まれている栄養分が、食塩の害を防いでくれているわけです。

このように隠岐諸島では、魚介類や海藻などの海の幸をフルに利用することで、長寿を達成しているのです。

ところが西日本で三番目の長寿地域は、実は四国山中の愛媛県と高知県にまたがる地域なのです。沖縄も隠岐諸島も、海に近いところでしたが、四国山中は海から遠く、魚をたくさん食べることができないのに、平均寿命が長いというのは不思議に思われるかもしれません。

しかし、世界の長寿地域のことを考えると、コーカサスやビルカバンバ、中国の貴陽《きよう》なども同じように山の中でした。これらの地域では、肉の内臓や果物、豆など、魚のかわりになるものを食べて、長寿を達成していました。

この四国山中では、何が魚のかわりになっているかというと、とうもろこしを米のように細かく砕いたものでした。ここはカルスト地形で地質にカルシウムが多く、米があまり育たないこともあって、伝統的にこれを主食にしていたのだそうです。

とうもろこしには食物繊維やカリウムなどの成分がたくさん含まれています。これが飲料水に多いカルシウムとともに、日本食の欠点である食塩の害を打消していたのだと思われます。南米のビルカバンバの長寿の要因の一つに、このとうもろこしの食べ物があったことを考えてみれば、とうもろこしがこの地域の人々を長寿にしていると考えてもおかしくはないでしょう。

コレステロール値が高いのに長寿を達成している沖縄と隠岐

さて、長寿地域である沖縄や隠岐諸島での検診の結果をここで見ておきましょう。

沖縄では、ほかの地域と同じく五〇歳から五四歳までの男女約二三〇名を対象に調査を行いました。血圧はそれほど高くはなく、降圧剤を飲んでいる人も含めた高血圧者の割合は、男性が約一五％、女性が一八％と、日本のほかの地域とそれほど差はありません。一方で肥満度はやや高く、三人に一人が肥満傾向にありました。

そして血清総コレステロール値は、男女ともほかの地域に比べて多少高い値であるという結果が出ました。興味深いことに、このコレステロールの高さは隠岐でも同じなのです。しかし、二つの長寿地域とも、心筋梗塞の発症は少ないのです。

これは、欧米の常識からいうと非常に奇妙なことです。欧米では、コレステロール値が高いと心筋梗塞が増え、脳卒中が当然増えるというのが通説になっていたからです。

しかし、沖縄や隠岐諸島ではコレステロール値が高くても脳卒中は少なく、逆にコレステロール値の低い秋田県で脳卒中が多く発症していました。

実は私たちが行った動物実験でも、これと同じような結果が出ていたのです。そこで私たちは、コレステロールと脳卒中の関係は、コレステロールと心筋梗塞との関係とは違うのではないか、コレステロール値は多少高いほうが、脳卒中が少なくなるのではないかと考えるようになったのです。世界五七カ所の調査は、その考えを確かめることにもなったのです。調査の結果、私たちの予想は外れていなかったことがわかりました。コレステロール値が低いところは、かえって脳卒中、とりわけ脳出血の発生率が高くなっているのです。

コレステロールと脳卒中の関係に関する限り、欧米の常識は間違っていたのでした。こういった疫学《えきがく》的な研究は、やはり欧米のほうが進んでいるために、欧米を中心にしたデータばかりが使われる傾向があります。今までは、その欧米で集めたデータを、日本やほかの国々がそのまま引き写しにして、応用していました。そして、間違った栄養指導が行われることもあったのです。

かつて私が研究をしていた島根県でも、脳卒中はコレステロールによって起こる、そのため脳卒中を防ぐためにはコレステロール値を下げなければいけないといわれていました。ということで、血圧が高いお年寄りは、脳卒中予防のためコレステロール値を下げるような食生活の改善(?)が行われていたのです。だが、その結果はあまりかんばしいものではありませんでした。コレステロールを下げるために卵やミルクをさけるなどの食事制限をしたため、骨を丈夫にする栄養分も摂れなくなって骨粗鬆症《こつそしょうしょう》になり、骨折を起こして寝たきりになるお年寄りが増えてしまったのです。また、コレステロール値を下げたので、逆に脳卒中になって寝たきりになるお年寄りも増えてしまいました。

このコレステロールと脳卒中の関係からわかるように、栄養と健康、食べ物と血管の病気との関係は、地域によって異なるのです。それぞれの地域できちんと現実の状況を把握し、分析して初めて、その地域では何をどのように食べれば健康に長生きできるのか、ということがわかるのです。

健康と長寿は人類の長年の夢ですが、それを達成するためには単なる一般論だけでは通用しません。その地域の現実を科学的な目で調べて、どんな方向に軌道修正すればいいのかを見極めることが必要なのです。

■日本の長寿の秘訣

（沖縄）

●豚肉を使った多彩なメニューで、日本のほかの地域では不足しがちなたんぱく質を豊富に摂っている。しかも、ゆでて脂を落として食べている。

●食物繊維や身体によいミネラルがたくさん含まれている昆布を、日本一多く食べている。
●あっさりした味付けで、塩分の摂取量が日本一少なく、脳卒中や胃がんを防いでいる。
●大豆料理の種類が豊富で、植物性のいいたんぱく質を摂っている。
（隠岐諸島）
●魚介類が豊富で、しかもそれを内臓ごと食べているので、タウリンや銅など、コレステロール値や血圧を下げる成分を摂取できる。
●塩分を体外に排出し、塩の害を防ぐ食物繊維、カリウム、マグネシウムなどを多く含む、わかめなどの海藻類をたくさん食べている。
（四国山中）
●主食であった、とうもろこしに、食物繊維やカリウムが豊富に含まれている。
●土壌の影響でカルシウムが多く、塩の害を防いでいる。

第4章

日本人のための長寿食を求めて

日本食を長寿食に変えるために

米を粒のまま食べることが長寿の秘訣

日本が世界一の長命国になった理由には、食事がよかったということがあげられます。つまり、日本食には長寿の秘訣が隠されているわけです。

日本食のいいところは、まず主食が米であること。外国では、人間が活動するために必要なカロリーの半分近くを脂肪から摂っているところが多くありますが、日本では必要なカロリーの五、六割を主食の米、つまり炭水化物で摂取しています。

米を主食にしている長所には、まず血中のコレステロール値を高くしないということがあげられます。

多くの国で行われているように、カロリーを脂肪で摂ろうとすると、どうしてもコレステロール値を高くしてしまうことになります。しかし、炭水化物で摂るようにすれば、そういった危険性が少なくなるわけです。さらに米そのものには、たんぱく質やビタミンも多く入った健康食であるという長所があります。

また、パンやスパゲッティは小麦を粉にしてから練って作りますが、粉にしたものは吸収が早く、インシュリンの出方が早いのです。しかし、米は粒のまま炊いて食べるので、インシュリンが急激に分泌されることがないという長所があります。

インシュリンは膵臓《すいぞう》から分泌されるホルモンの一種で、血糖値が高くなると分泌され、血糖値を下げる役割があるのですが、カロリーの高いものを食べすぎているとインシュリンが過剰に分泌され、血糖値を下げる効果がなくなってしまうのです。これが、成人病の一つである糖尿病です。つまり、急激にインシュリンが出たりすることのない米食は、糖尿病の予防にも一役かっているわけです。

ご飯に魚という伝統的な日本食がいい

次に料理のほうを見てみましょう。伝統的な日本食では、ご飯のおかずに魚を食べることが多いのですが、これも身体にいい食べ方です。魚にはタウリンや良質のたんぱく質がたくさん含まれています。また、魚に多い不飽和脂肪酸《ふほうわしぼうさん》は、血栓《けっせん》ができるのを防ぎ、脳血管性の痴呆《ちほう》を防ぎます。

さらに、これが糖尿病、とりわけ命とりとなる糖尿病性腎症（糖尿病によって、腎臓からたんぱくがもれる状態になる症状）の予防に効果があることが最近の実験でわかってきました。

また、食塩の害を防ぐ食物繊維やカリウム、マグネシウム、それに銅などの微量元素を含む海藻を多く食べることも、日本食の長所の一つです。

それから、豆腐や油揚げ、味噌汁など、大豆をいろいろな形で有効に利用しているのも日本食のいいところです。大豆は良質のたんぱく質、そしてカリウム、マグネシウム、食物繊維を多く含んでいます。また、女性ホルモン作用のある成分も多く含んでいるので、この大豆が長寿と関係していることは、確実だと思われます。

日本食の最大の欠点は、塩を多く摂ること

もちろん、日本食も万能ではなく、いろいろと欠点もあります。

最大の欠点は、食塩の摂取量が多いことでしょう。日本は南北に細長く、食生活にも大きな差が見られ、塩分の摂取量も北に行くほど多く、南に行くほど少ない、という傾向があります。私たちの調査では、青森県の弘前で一日あたり一七〜一八グラム、沖縄でその約半分の八グラムという結果が出ました。日本全体で平均すると、約一三グラムぐらいになり、やはり食塩の摂取量が多すぎるということになります。

食塩を多く摂ってしまうのは、米がおいしすぎて、塩の効いた漬け物や干物など、塩味さえあればほかに何もいらないような気分になるからでしょう。一時米が高血圧によくないといわれていたことがありますが、実際は高血圧の原因は米ではなく、米と一緒に食べる塩分の多い漬け物などだったのです。

さすがに戦後は、減塩運動の成果もあって食塩の摂取量は減り続けてきましたが、最近は油断しているのか、増加する傾向を見せて、一日一二・九グラムにまで増えてしまいました。塩の摂取量と寿命とには密接な関係があり、日本一食塩の摂取量が少ない沖縄は、平均寿命でも日本一です。

最近は降圧剤《こうあつざい》があるので、食塩をあまり制限しなくても大丈夫、と思われる人もいるかもしれません。しかし、高血圧の人は、降圧剤で血圧を下げていても、血管が詰まりやすく、脳血栓などを起こしやすいというデータがあります。塩分は血小板を固まらせ、血栓を作りやすくする作用がありますが、この作用は高血圧の人ほど強く出るようです。降圧剤を飲んでいるからといって、油断して塩分を摂りすぎていると、脳の血管が詰まって痴呆になる危険性が十分考えられます。

実際日本では、高血圧治療が進んでおり、脳卒中は減っています。しかし、その一方で、脳血管性痴呆は減少するどころか、増加する傾向にあるのです。降圧剤は簡単に使うことができますが、根本的な治療にはなりません。それればかりか、痴呆症増加の一因になっているのではないかと私たちは心配しています。

塩分を摂りすぎている一方で、日本人があまり食べていないのが、良質の動物性たんぱく質です。沖縄のように豚肉をたくさん食べている地域はむしろ例外で、日本人の大部分は肉をそれほど食べていません。これは、鳥獣の殺生《せっしょう》を禁じる教えがある仏教文化が、日本人の生活に広く浸透していたことによります。また、七四一年に仏教を強く信奉した聖武《しょうむ》天皇により殺生禁止令が出されるなど、肉食に関する文化統制が古来よりなされていたことの影響によると思われます。

しかも、マサイ族のように肉をあまり食べなくても、ミルクを毎日飲んでいれば、乳たんぱくを摂ることができるのですが、日本人は乳製品も不足しがちなのも気になります。

脂肪の摂りすぎが気になる最近の日本人の食事

最近の日本人の食事の傾向で気になるのが、野菜・果物が不足しているということです。野菜や果物に多く含まれるカリウムは、ナトリウムを尿の中に出してしまう働きがあるのですが、日本人の一日に出される尿から検出されるカリウムの量は、野菜・果物を大量に食べている地中海地域やコーカサスの人に比べると、わずか三分の二しかないのです。これは日本人が野菜・果物をあまり食べていないことを表しています。

さらに気になるのが、日本人の食事の内容が急激に変わりつつあることです。とくに若い世代の食事が西欧化し、子供たちがスナック菓子のような手軽な食べ物を好んで食べるように変化したことは注意が必要です。

スナック菓子などの単純な食べ物は、使う素材が限られており、必要な栄養素を十分に摂ることができません。フランス料理のように、さまざまな食材を使って複雑な味付けをしているものには、いろいろな栄養素が入っていますが、アメリカの食品のように全国どこへいっても同じものが出て、しかも量で満足するような形になっていると、カロリーばかりが多い栄養バランスの悪いものになってしまうのです。

もともと日本では塩分を摂りすぎる傾向があります。その塩分過剰のところへ、大量の脂肪を同時に摂ると、塩分が脂肪の吸収を大きく促進させるわけで、この二つの組み合わせは動脈硬化に最もよくない食べ方なのです。そしてスナック菓子には、ポテトチップのように脂と塩とを大量に使ったものがとても多いのです。

このような食生活の変化は、私たちの身体に悪影響をもたらしています。たとえば子供のコレステロール値は、二〇年前にはそれほど高くなかったのですが、今では驚くべき数字を示しています。たとえば島根県の出雲《いずも》市における調査では、アメリカのヒューストンの子供よりも高いコレステロール値を示すようになってしまったのです。

最近ではどうしても生活が忙しくなってきているので、スナックのように手早くカロリーが補給できる食べ物に流れがちです。しかし、このような食品が広まれば広まるほど日本人の平均寿命は短くなっていくはずです。

また、アメリカ風のこぎれいな食品が広まっていく中で、一見するとやぼったい食品が見捨てられていく傾向も気になります。

たとえば肉でも、生活が豊かになるにつれて、内臓などはばかにして食べなくなってきています。魚も、昔にくらべ食べる種類が減っています。こうして食べるものの数がどんどん減ってきているのは、身体のこと、寿命のことを考えると、とても心配なことです。やはり健康的な食事とは、たくさんの種類の食品をバランスよく食べることだからです。

日本人は外国人よりも糖尿病になりやすい

もう一つ心配なのが、日本人の体質に関係したことがらです。それは、日本人の体質は糖尿病になりやすいのではないかと思われることです。

日本人と日系ブラジル移民の血糖値を調べたところ、日本人の五〇～五四歳の人で血糖値が高かった人は、二〇人に一人、五％にすぎませんでした。これは、欧米に比べるとかなり少ない比率です。ところが、ブラジルに住んでいる日系移民の人を調べると、血糖値の高い人が五人に一人、二〇％という高い割合だったのです。

つまり、アフリカの人が塩に対する感受性が強いように、日本人はカロリーに対する感受性が強く、外国人よりも糖尿病になりやすいのではないかと推測されるわけです。ブラジルの日系移民は、日本人に比べて動物性脂肪の多いカロリーの高い食事をしています。糖尿病になりやすい日本人は、ブラジルのようなカロリーの高い食事をしていると、すぐにインシュリンが出すぎて糖尿病になってしまうのです。同じように、アメリカに移住した日系人にも糖尿病が多いというデータが出ています。

白人なら、同じ量の高カロリー・高脂肪の食事をしていても、日本人ほど血糖値が上がらないのです。たとえばヨーロッパではデザートに砂糖を大量に使った、甘くて油っこいものをたくさん食べていますが、日本人が同じ量を食べれば、たちまち肥満や糖尿病になってしまうことが予想されます。

もともと日本人には、それほど太った人はいません。しかし、戦後、経済が豊かになり、砂糖や動物性脂など、カロリーの高い西欧風の食べ物を好きなだけ消費できるようになって、肥満や糖尿病などの高カロリー食の弊害《へいがい》が出てきました。最近では、食事がますます西欧化して、高カロリー・高脂肪化に拍車がかかっています。

中国の広州《こうしゅう》やタンザニアのダレスサラーム、そしてエクアドルのビルカバンバなどでは、伝統的な食事を捨てて、西欧の生活をまねるようにしたところ、血圧が高くなったりして、寿命を縮める結果となってしまいました。

子供たちのコレステロール値の上昇や、日系ブラジル移民のデータを見ていると、日本でも同じようなことが起きているような気がしてならないのです。

減塩の方法を教えます

ではこれから、私たち日本人がよりよい長寿を達成するためにはどんなことに気をつけたらいいかを考えてみましょう。

基本的には、ごく当たり前のことですが、長所は残し、悪いところは改良するようにすればいいのです。

日本食は欠点もありますが、長所のほうが多く、コレステロールも低いので改善しやすい食事です。外国によくある高コレステロールの食事を変えるよりも、はるかに簡単に「理想の長寿食」を作ることができるはずです。

日本食の長所は、米を主食にしていること、魚、海藻、大豆などを食べていることでした。このような伝統的な日本食を食べる習慣をなくさないようにしましょう。

短所の一つに、食塩の量が多すぎることがありました。日本の厚生省では成人一人あたりの一日の塩分の適量を一〇グラムとしています（WHOでは六グラムと定めています）。一〇グラムというと、喫茶店でコーヒーについてくるスティック包装の砂糖が六グラムですから、その二本分ぐらいです。一日にできればその一本分ぐらいの塩ですませるようにしてください。

塩分をコントロールするためには、まず塩に代わる調味料を使うようにする方法がありますす。食塩（塩化ナトリウム）の代わりにさまざまなカリウムを入れた減塩しょうゆ、だし、酢などをうまく使って、塩の量を減らすようにしましょう。最近はエスニック料理がブームになり、世界各地の香辛料が入手できるようになっています。それらのスパイスを使えば、目先の変わった味が演出できて、塩分も減らせます。

味噌汁も、塩分を一％以下にして飲むようにしましょう。最初は物足りないかもしれませんが、人間の舌は案外、簡単に新しい味覚に慣れてしまうものです。以前研究のために、学生のグループに最初は昔の東北地方のような二五グラムの食塩が入った高塩食、次に六グラムの減塩食、最後に塩を加えていない、天然のものに含まれる三グラムの塩分だけが入った食事を摂ってもらう実験をしたことがありました。すると学生たちは一週間ぐらいでその薄味になれてしまい、実験が終わって普通の食事に戻したところ、「塩辛くて食べられない」

と言っていました。

長年親しんだ味や好みはなかなか変えられないという先入観をもつ方が多いようですが、そんなことはありません。どんどん新しい味に挑戦していってください。

また、冷蔵庫がこれほど普及していなかった時代、塩は食べ物を保存する重要な手段でした。しかし、今は、塩漬けにする以外にも乾燥させたり、冷凍させたりする保存技術があります。こういった技術を使って、塩の量を減らすのも一つのアイデアです。

単に塩分を減らすだけでなく、塩の害を防ぐたんぱく質や食物繊維、カリウムなどを摂るようにする工夫も必要です。そこでお勧めしたいのがだしを取る料理法です。塩分が多くなりがちな味噌汁も、かつお節や昆布でだしを取れば、マグネシウムやさまざまな微量元素を摂ることができます。小魚のだしならカルシウムを摂ることができます。この場合小魚もそのまま食べるようにすると、もっと効果的です。

このだしを取って食べる料理法は、ほかの国にはあまり見られない、身体にとてもいい効果がある、世界に誇れる料理法なのです。だしからいろいろな栄養素が溶けだしている上に、野菜や豆腐をたっぷり入れた具だくさんの味噌汁なら、カリウムや食物繊維、それに女性ホルモン作用のあるダイゼインなどの成分も摂れて一挙両得《いっきょりょうとく》というわけです。

長寿のための野菜、果物、肉のよりよい食べ方

食塩が多すぎる一方、逆に足りていないのが野菜・果物でした。今日本人が平均的に食べている量の一・五倍ぐらいが適正とされています。野菜などは、肉料理の付け合わせにするのではなく、それだけでメインのおかずになるぐらい、たっぷりとしたボリュームで食べましょう。

野菜・果物にはカリウムがたくさん含まれていますが、加熱すると流れてしまいます。カリウムを有効に摂取するためには、できれば煮炊きせずにそのまま食べたほうがいいでしょう。野菜を生でばりばり食べるコーカサスの食べ方は、この点で大変いい食べ方なのです。煮た場合は、スープにして煮汁ごと食べてしまえば、溶けだしたカリウムを摂ることができます。

次に肉を食べるときの注意です。肉を食べる場合は、脂や塩を付けすぎないよう注意しましょう。いろいろな肉料理の中で、とくにいい食べ方なのは、しゃぶしゃぶです。肉を湯の中ですすぐので、脂肪を落とすことができます。ただし俗に高級とされている「霜降り」肉の「霜」の部分は脂肪ですから、もし、毎日のように食べるとすれば、安物とされている赤身の肉のほうが、かえって健康にはいいのです。

また、乳製品がまだ日本人の食生活に馴染んでいないことも気になることでした。乳製品を多く摂るための、ちょっとおもしろい工夫を教えましょう。それは、味噌汁に粉ミルクを入れるというものです。「味噌汁にミルク」というと意外に思われるかもしれませんが、ミルクが汁の味をまろやかにして、なかなかいけるのです。しかもスキムミルクなら余分な脂肪分を摂る心配もありません。このミルク入り味噌汁は実際に島根県の老人ホームでいつも出されていたメニューですが、お年寄りにも大変好評でした。これを飲んでいれば、脳卒《のうそっ》中《ちゅう》、骨粗鬆症《こつそしょうしょう》、ボケや寝たきりになることなどを防ぐことができます。ぜひ、おためしください。

伝統の味、京料理に長寿食のヒントが

これまで日本食の改善策について述べてきましたが、実はそのお手本になる料理がすでに日本にあるのです。それが、京都の伝統食である京料理です。

京料理のいいところは、まず伝統的に薄味で、塩をあまり使わないこと。京の都は内陸部にあり、海からはだいぶ遠いところにあるので、普通なら魚などは塩漬けにして運ぶところなのですが、なぜか京都では薄味のものが好まれていました。これは、都であったために物資を運ぶルートが優先的に作られていたことと、また、あっさりした淡泊なものを上品なも

のとする文化が栄えていたためでしょう。

魚は、輸送の途中でいたまないよう、身欠きにしんや棒だら、しめさばなど加工に工夫を凝らしています。たとえばしめさばは、日本海で獲ったらその場でしめさばにして、京都に運ばれたときに食べごろになるようにしていました。

また、京都独特の魚に、はもがありますが、これも海岸でゆでてしまい、腐らないようにして運んでいたのです。京都で料理するときは、湯引きして脂を落とし、冷水で身を引き締めます。これを酒、しょうゆ、みりん、砂糖で味付けした裏ごしの梅肉で食べるのが一般的です。

食物繊維やカリウムが多く含まれている昆布の消費量も京都では多いのです。

魚のほかに重要なたんぱく源として大豆がありますが、京都の高級料理として知られるゆばは、大豆を原料にした健康食です。

野菜は、なるべく近郊で作ったものを新鮮なまま食べるのがいいのですが、京都はこの点でも恵まれています。京都には賀茂《かも》なす、上賀茂《かみがも》のかぶら、聖護院大根《しょうごいんだいこん》、鹿《しし》が谷《たに》かぼちゃ、壬生菜《みぶな》、伏見《ふしみ》唐辛子など、さまざまな京野菜があり、これらは昔は市内、今では市の近郊で栽培されていて、収穫されたその日のうちに市場に並びます。

さらに京料理では、この京野菜を生かしたおかずの種類が豊富です。こういったおかずは

「おばんざい」と呼ばれて、「お袋の味」のように親しまれています。

おばんざいには本当にいろいろな種類があり、料理法も煮たり焼いたりさまざまですが、基本的には薄味で、野菜のもつ自然の味を楽しむものです。また、季節感を大切にしているので、旬《しゅん》のものを上手に使っています。旬のものは、季節外れのものよりも栄養分が多く、やはりおいしいのです。

昆布や小魚、しじみなどを煮込んで作る保存食、つくだ煮も、さんしょうやゆずを使って香りをつけ、塩をそんなにきかせなくても十分味わい深いものになっています。漬け物では、賀茂のかぶら漬けや千枚漬けなどがよく知られていますが、唐辛子の辛さを生かして塩を多くしすぎないようにしています。

京料理というと、手に入りにくい材料を使ったり、特別手間のかかる調理をしなければならないのではと思われる方もいらっしゃるかもしれませんが、そんなことはありません。京野菜が手に入らなくても、賀茂なすは普通のなすで、壬生菜は広島菜で、という具合に、似たもので代わりにすることができますし、もともとが庶民が日々食べていたものですから、それほど調理が難しいわけではないのです。薄味で素材の持ち味を生かし、野菜、豆の加工品、魚をたくさん食べる京料理をお手本にして、みなさんがいつも食べているものに少し手を加えれば、簡単に「長寿食」ができあがるはずです。

世界の食文化を取り入れ、健康で楽しい「長寿」へ

もともと日本は、古くは中国大陸や朝鮮半島から、最近ではアメリカ、ヨーロッパから、食を含めたさまざまな文化を積極的に輸入し、自分なりに消化吸収して自国の文化としてきた国です。食べ物に関しても、古来の食文化にあまりこだわることなく、おいしいと思ったらどんどん取り入れ、日本人の舌にあうようにアレンジしてきました。

たとえばインド料理であるカレーは、今やありふれた料理です。味を日本人好みのマイルドなものにするだけでなく、ご飯やうどんと組み合わせて、日本独自の食べ方を発明しています。どこの店に行ってもあるカツレツも、元をたどればシュニッツェルというウイーンの肉のフライです。本家の影が薄くなってしまうぐらい、日本で親しまれる料理になりました。

家庭でも、日本ほどいろいろな国の料理が食べられる国はほかにないでしょう。日本の多くの家庭では、土鍋とフライパン、中華鍋といった具合に、和・洋・中三種類の料理が作れるように道具がそろっているのが普通です。食器も、洋食器・和食器の両方を持っていて、料理に合わせて使い分けています。ステーキを食べながら、漬け物とご飯を食べるというように、世界各国の料理を混ぜて食べるのも当たり前の光景ですし、「和食にワイン」という

フランス人が見たら驚くような組み合わせにも成功しています。最近でも東南アジアの料理がブームになったり、世界の珍しい食材やスパイスに関心が高まるなど、新しい味覚を貪欲《どんよく》に追求し続けています。

こうして他国の食事を真似して、さらに日本風に変えてしまう態度が、世界各国の味が混ざりあった「日本の味」を作り出してきました。このよくいえば進取《しんしゅ》の精神に富む、悪くいえばいいかげんな感覚が、意外と私たちが長生きをしている最大の理由なのかもしれません。

私たちは、世界各地の長寿地域・短命地域で、何が長寿にいいのか、どんな食べ方をしていると短命になってしまうのかを見てきました。そしてまた、お年寄りが大事にされる楽しい長寿の生活を見てきました。

一つのものにこだわらず、新しいものを抵抗なく受け入れる柔軟な精神で、長寿地域のいいところを真似ること。それが、単なる長生きではない、健康で楽しい長生き＝「長寿」を実現する鍵だと私は思うのです。

10年の旅を終え、新たなる旅へ。(エベレストの麓ナムチェバザールにて)

エピローグ

長寿を達成するための一〇の条件とモナリザ計画

調査からわかった長寿を達成するための一〇の条件

これまで私たちは、WHOの協力を得て、日本を含む世界五七地域で人々の暮らしぶりや食事を調査し、血圧やコレステロール値などを検診してきました。

その検診の結果を、三つのグラフにまとめてみました（二三一頁、二三三頁、二三五頁参照）。食塩摂取量と血圧には相関関係があることがおわかりいただけると思います。ビルカバンバなど、いくつかの例外はありますが、大まかにいって食塩の摂取量が多いほど血圧は高くなる傾向にあるようです。食塩の摂取量が多くても血圧が低いという例外の地域は、その害を打ち消す食べ物を多く摂っているため、血圧が低くなっているのです。また、動物性の脂肪を摂らないところのほうがコレステロール値が低くなっていることもわかると思います。

そのほか、調査をした各地で、その土地独自のいろいろな食生活を見ることができました。

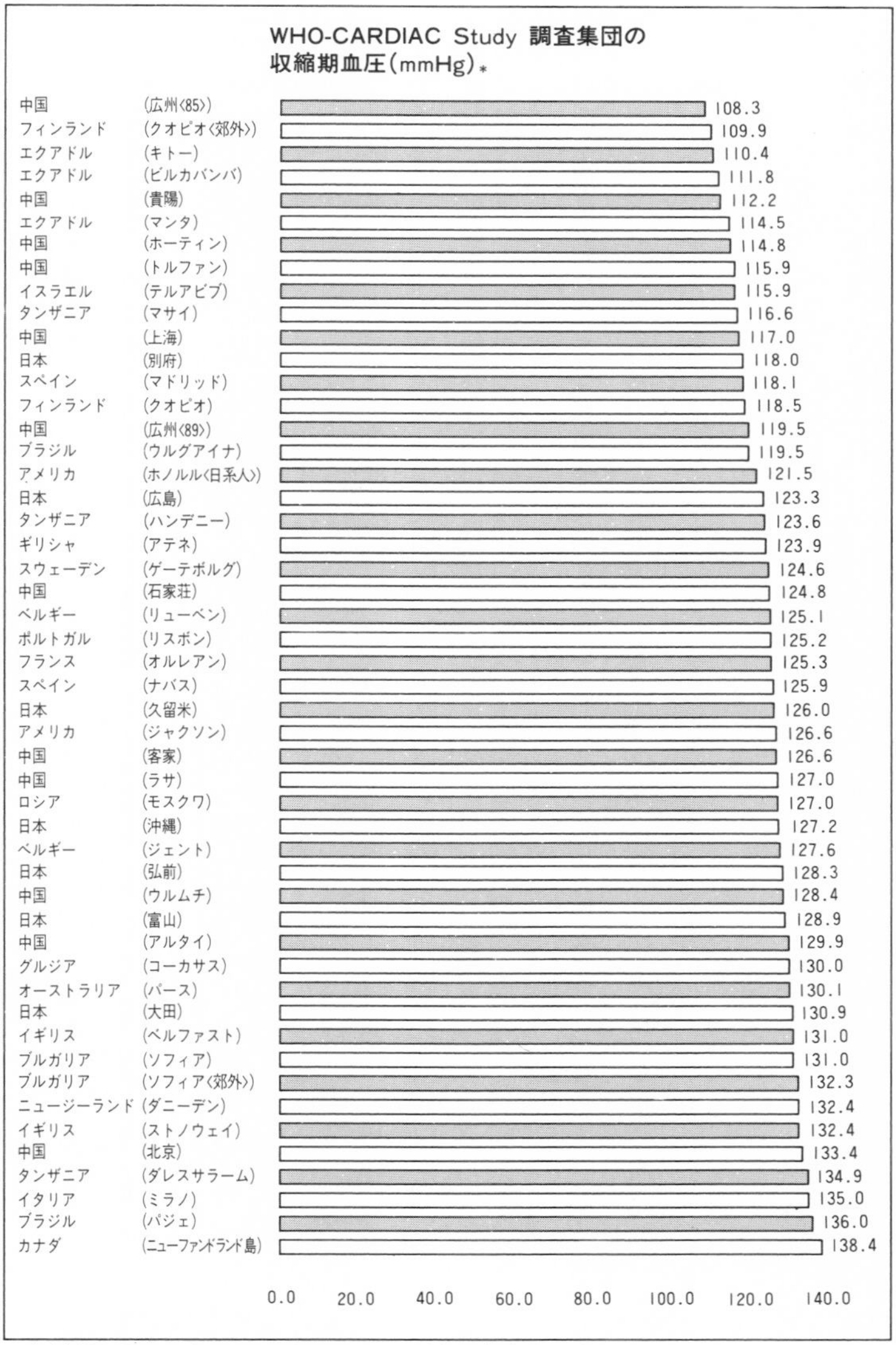
WHO-CARDIAC Study 調査集団の
収縮期血圧(mmHg)*
中国 (広州〈85〉) 108.3
フィンランド (クオピオ〈郊外〉) 109.9
エクアドル (キトー) 110.4
エクアドル (ビルカバンバ) 111.8
中国 (貴陽) 112.2
エクアドル (マンタ) 114.5
中国 (ホーティン) 114.8
中国 (トルファン) 115.9
イスラエル (テルアビブ) 115.9
タンザニア (マサイ) 116.6
中国 (上海) 117.0
日本 (別府) 118.0
スペイン (マドリッド) 118.1
フィンランド (クオピオ) 118.5
中国 (広州〈89〉) 119.5
ブラジル (ウルグアイナ) 119.5
アメリカ (ホノルル〈日系人〉) 121.5
日本 (広島) 123.3
タンザニア (ハンデニー) 123.6
ギリシャ (アテネ) 123.9
スウェーデン (ゲーテボルグ) 124.6
中国 (石家荘) 124.8
ベルギー (リューベン) 125.1
ポルトガル (リスボン) 125.2
フランス (オルレアン) 125.3
スペイン (ナバス) 125.9
日本 (久留米) 126.0
アメリカ (ジャクソン) 126.6
中国 (客家) 126.6
中国 (ラサ) 127.0
ロシア (モスクワ) 127.0
日本 (沖縄) 127.2
ベルギー (ジェント) 127.6
日本 (弘前) 128.3
中国 (ウルムチ) 128.4
日本 (富山) 128.9
中国 (アルタイ) 129.9
グルジア (コーカサス) 130.0
オーストラリア (パース) 130.1
日本 (大田) 130.9
イギリス (ベルファスト) 131.0
ブルガリア (ソフィア) 131.0
ブルガリア (ソフィア〈郊外〉) 132.3
ニュージーランド (ダニーデン) 132.4
イギリス (ストノウェイ) 132.4
中国 (北京) 133.4
タンザニア (ダレスサラーム) 134.9
イタリア (ミラノ) 135.0
ブラジル (パジェ) 136.0
カナダ (ニューファンドランド島) 138.4
0.0 20.0 40.0 60.0 80.0 100.0 120.0 140.0

＊収縮期血圧とは俗にいう高いほうの数値を意味します。

その中には長寿地域もあり、短命な地域もありましたが、尿や血液、食事サンプルなどから、長寿を達成するための条件がわかってきたのです。その条件を一〇項目にまとめてみました。

一　食塩を控えめに。塩分は高血圧、動脈硬化、心筋梗塞《しんきんこうそく》、脳卒中《のうそっちゅう》、脳血管性痴呆症《のうけっかんせいちほうしょう》の原因となります。塩分をほとんど摂らないマサイ族の食事は、きわめて健康的なものといえます。かつての広州《こうしゅう》は、塩分を控えめにした食事で高血圧もまれでした。

二　動物性脂肪の摂り過ぎに気をつける。コーカサスや沖縄などの長寿地域では、肉は串焼きしたり、ゆでたりして、動物性脂肪を摂りすぎないようにしていました。また塩と脂肪を同時に摂ると、動脈硬化を促進します。チベット、ネパールの塩茶、バター茶や、カナダのセントジョーンズの塩漬けの魚、ブラジルのシュラスコという焼き肉などは、この点で残念ながら「短命の食べ物」ということができるかもしれません。

三　野菜・果物をたっぷり食べる。長寿地域であるコーカサスや地中海、シルクロードのオアシス地域では、野菜・果物を生のまま、あるいは乾燥させて大量に食べます。逆にネパールやチベットなど、野菜・果物があまり穫れないところは、短命の人が多いのです。

四　牛乳、ヨーグルトなどの乳製品を摂る。コーカサスのヨーグルトやビルカバンバのチーズ、マサイ族のミルクに含まれる良質のたんぱく質は、長寿の源です。ヨーグルトなどの発酵乳は腸にいい細菌を育てます。

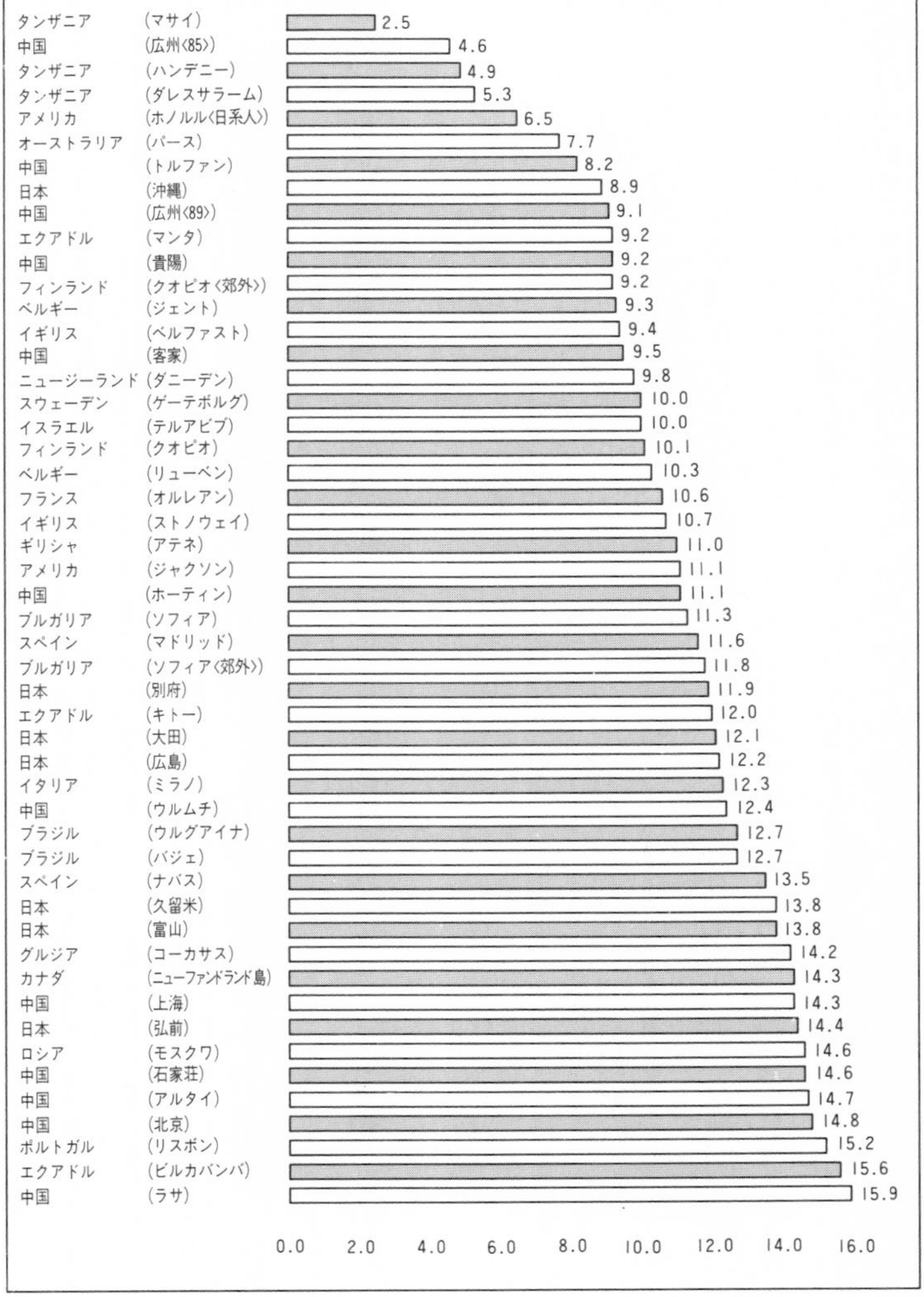
タンザニア (マサイ) 2.5
中国 (広州〈85〉) 4.6
タンザニア (ハンデニー) 4.9
タンザニア (ダレスサラーム) 5.3
アメリカ (ホノルル〈日系人〉) 6.5
オーストラリア (パース) 7.7
中国 (トルファン) 8.2
日本 (沖縄) 8.9
中国 (広州〈89〉) 9.1
エクアドル (マンタ) 9.2
中国 (貴陽) 9.2
フィンランド (クオピオ〈郊外〉) 9.2
ベルギー (ジェント) 9.3
イギリス (ベルファスト) 9.4
中国 (客家) 9.5
ニュージーランド (ダニーデン) 9.8
スウェーデン (ゲーテボルグ) 10.0
イスラエル (テルアビブ) 10.0
フィンランド (クオピオ) 10.1
ベルギー (リューベン) 10.3
フランス (オルレアン) 10.6
イギリス (ストノウェイ) 10.7
ギリシャ (アテネ) 11.0
アメリカ (ジャクソン) 11.1
中国 (ホーティン) 11.1
ブルガリア (ソフィア) 11.3
スペイン (マドリッド) 11.6
ブルガリア (ソフィア〈郊外〉) 11.8
日本 (別府) 11.9
エクアドル (キトー) 12.0
日本 (大田) 12.1
日本 (広島) 12.2
イタリア (ミラノ) 12.3
中国 (ウルムチ) 12.4
ブラジル (ウルグアイナ) 12.7
ブラジル (バジェ) 12.7
スペイン (ナバス) 13.5
日本 (久留米) 13.8
日本 (富山) 13.8
グルジア (コーカサス) 14.2
カナダ (ニューファンドランド島) 14.3
中国 (上海) 14.3
日本 (弘前) 14.4
ロシア (モスクワ) 14.6
中国 (石家荘) 14.6
中国 (アルタイ) 14.7
中国 (北京) 14.8
ポルトガル (リスボン) 15.2
エクアドル (ビルカバンバ) 15.6
中国 (ラサ) 15.9
0.0 2.0 4.0 6.0 8.0 10.0 12.0 14.0 16.0
WHO-CARDIAC Study 調査集団の
1日尿中食塩排泄量から推定した食塩摂取量(g/day)

五　魚・内臓肉・大豆で良質のたんぱく質やタウリンを摂る。地中海地域では、魚に含まれるタウリンや不飽和脂肪酸《ふほうわしぼうさん》、鉄や銅など微量元素などが健康的な生活の原動力になっていました。また、貴陽《きよう》、沖縄では大豆を使った豆腐料理が大切なたんぱく源になっていました。逆にチベット、ネパール、フィンランドでは、魚を食べないために短命になっていました。またビルカバンバやフランスのように、魚を食べなくても、大豆や内臓肉などで不足している栄養を補って、健康に暮らしている人々もいます。

六　一つのものに片寄らずに、いろいろな食材をバランスよく食べる。「これを食べていれば長生きする」という魔法の食べ物があるわけではありません。むしろ身体にいいからといって、特定の食べ物ばかり食べていたり、逆に悪いからといって絶対に食べないようにするのはあまり好ましいことではないのです。フィンランドでは、コレステロールの摂取量を下げようとして植物性の油を摂りすぎてしまい、かえって健康を害した人もいました。

七　適度な運動を心がける。歳をとっても、軽く汗ばむぐらいの運動や仕事をする方が健康にはいいのです。コーカサスのお年寄りは仕事に励んでいるからこそ元気なのです。

八　どの食べ物にどんな栄養があるのか、どんな食べ方が体にいいのかを積極的に学ぶ。中国の客家《ハッカ》の人々は移動を繰り返す間に、各地でいい食事を取り入れ、独自の健康的な食文化を作り上げています。日本の一見雑多な食文化も、この例といえるでしょう。

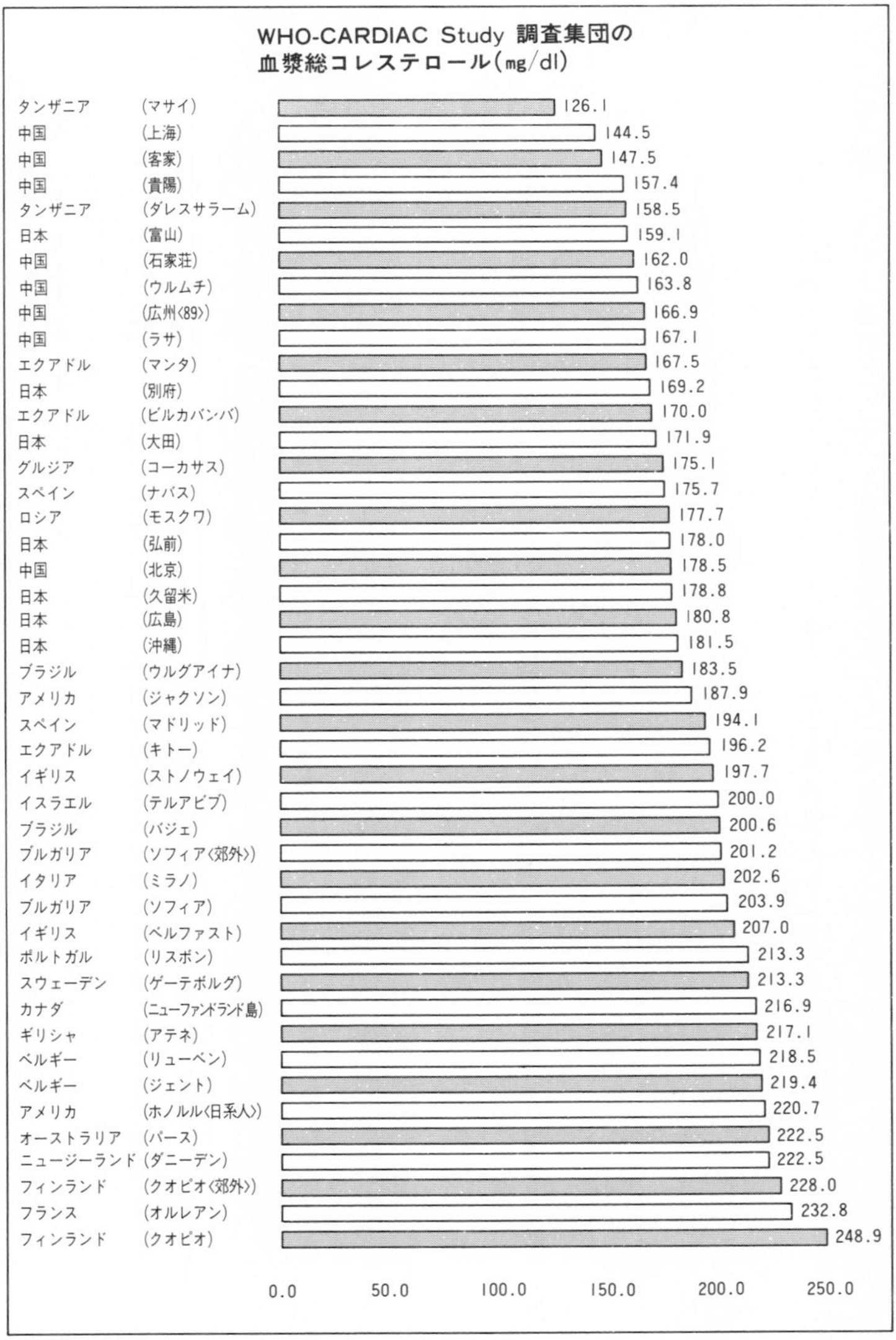
WHO-CARDIAC Study 調査集団の
血漿総コレステロール(mg/dl)
タンザニア (マサイ) 126.1
中国 (上海) 144.5
中国 (客家) 147.5
中国 (貴陽) 157.4
タンザニア (ダレスサラーム) 158.5
日本 (富山) 159.1
中国 (石家荘) 162.0
中国 (ウルムチ) 163.8
中国 (広州〈89〉) 166.9
中国 (ラサ) 167.1
エクアドル (マンタ) 167.5
日本 (別府) 169.2
エクアドル (ビルカバンバ) 170.0
日本 (大田) 171.9
グルジア (コーカサス) 175.1
スペイン (ナバス) 175.7
ロシア (モスクワ) 177.7
日本 (弘前) 178.0
中国 (北京) 178.5
日本 (久留米) 178.8
日本 (広島) 180.8
日本 (沖縄) 181.5
ブラジル (ウルグアイナ) 183.5
アメリカ (ジャクソン) 187.9
スペイン (マドリッド) 194.1
エクアドル (キトー) 196.2
イギリス (ストノウェイ) 197.7
イスラエル (テルアビブ) 200.0
ブラジル (バジェ) 200.6
ブルガリア (ソフィア〈郊外〉) 201.2
イタリア (ミラノ) 202.6
ブルガリア (ソフィア) 203.9
イギリス (ベルファスト) 207.0
ポルトガル (リスボン) 213.3
スウェーデン (ゲーテボルグ) 213.3
カナダ (ニューファンドランド島) 216.9
ギリシャ (アテネ) 217.1
ベルギー (リューベン) 218.5
ベルギー (ジェント) 219.4
アメリカ (ホノルル〈日系人〉) 220.7
オーストラリア (パース) 222.5
ニュージーランド (ダニーデン) 222.5
フィンランド (クオピオ〈郊外〉) 228.0
フランス (オルレアン) 232.8
フィンランド (クオピオ) 248.9
0.0
50.0
100.0
150.0
200.0
250.0

九　家族や社会とのつながりを大切にして、食事も友人や家族で一緒に摂る。長寿地域の食事風景はおしなべて、大家族が仲良くテーブルを囲むというものでした。

一〇　小さなことにこだわらず、ものごとを前向きに考えて明るく楽しい生活を送る。アメリカのデューク大学の調査でも現状を肯定的にとらえる、自分は元気だと思っている人のほうが長生きだという結果が出ています。積極的に生きる姿勢が、長寿のもとになるのです。

次なるプロジェクト「モナリザ計画」へ

長寿の条件はわかりましたが、地球上どこでも、同じことを行えばいいというわけではありません。食はその土地と切っても切れないものであり、それぞれの土地には、その気候や土壌にあった食べ物があります。長寿の条件は基本的に同じでも、それを達成するための改善方法は、その土地によって違うはずなのです。

また、一般に、ある土地で伝統的に食べられているものは、その民族や風土にあった健康食であることが多々ありました。マサイ族の血入りのミルクや発酵乳、ビルカバンバやコーカサスのチーズ、アンデスのチョチョス豆などは、健康にいい影響を与えると同時に、そこで作ったり穫ったりするのにも無理のない食べ物です。彼らは昔から受け継がれてきた、その土地固有の生活の知恵で、それが身体にいいことをよく知っているのです。

しかし、変化の激しい現代にあって、健康な食生活を送っている地域でも、いつまでも同じ食文化を保持しているわけではありません。近代化、工業化、都市化、西欧化の波は、今や全地球を覆《おお》っており、様々な地域で食生活の急激な変化が起こっているのです。

タンザニアのダレスサラームや中国の広州、ブルガリアなどでは、かつてはその土地固有の伝統食で、長寿を実現していました。しかし社会変化や経済情勢の変化によって、せっかくの伝統食を「古くさいもの」「貧しいもの」として遠ざけ、西欧的な食事へと向かった結果、長寿への道から後退してしまったのです。

このような急激な生活の変化が、人々の健康にどのような影響を与えるかは、同じ地域で追跡して調査をしないとわかりません。そこで私たちは、次の一〇年間でこれまでに調査した地域を再調査して、その変化を調べようと考えています。これまで行ってきた調査結果を「ものさし」にすれば、その土地の食生活の変化がいちはやくキャッチできるはずです。

さらに私たちは、食生活の変化を確認するだけでなく、それが悪い方向にいっているなら軌道修正をしていこうと思っています。私たちは、今までもフィンランドで魚の効用を説いたり、チベットに高血圧を防ぐチョチョス豆を持っていく計画などを立てたりしてきましたが、今回の計画では、食生活の改善を実際に行おうというわけです。

今現在、私たちが計画しているのが、ブラジルの日系移民の人々の食生活に対するプロジェクトです。ブラジルの日系移民の人々の中には、魚を多く食べるという身体にいい日本の食習慣から離れてしまっている人々がいるのです。そうした人々の健康状態を調べてみると、心臓病などの病気が多くの人に見つかりました。私たちは、こうした状態を改善するために、魚を食べてもらい、そして本来の健康的な生活に戻ってもらおうと考えているのです。

つまり、一〇年間の調査期間を終えた私たちは、次なる、より能動的なプロジェクトの段階に入るということなのです。この新たな一〇年計画のプロジェクトの名前を『モナリザ（MONALISA）計画』と命名しました。これは、「健康な食生活を心に留めよう」という意味のラテン語「MONEO ALIMENTATIONIS SANAE」を略したものですが、実は私たちはモナリザという言葉自体に強い思いを込めています。

ご存知のようにモナリザは、ルネッサンス期が生んだ天才レオナルド・ダ・ビンチが描いた絵画です。ルネッサンスとは、一四～一六世紀にかけて北イタリアを中心に起った人間性解放をめざす文化運動です。そして、古代ギリシャ・ローマの文化の復興を旗印に非常に合理的な文化が華開いたのでした。少し大げさではありますが、私たちがこれから行おうとしていることも、このルネッサンスと似ているのではないかと思うのです。

私たちは、合理的な調査の方法によって伝統食に光を当て、それを現代の人々に健康をもたらすものとしてとらえ直そうとしています。いわば伝統食の復興を旗印に、科学的な理論に基づいた健康的な食文化を二一世紀に華開かせようとしているわけです。ルネッサンスのシンボルである絵画の名を、新たなプロジェクトの名前に借りたのは、こうした理由があったからなのです。

これから一〇年、私はこのモナリザ計画の実行に、全精力を傾注するつもりです。そこで、微力ではありますが、本書の原稿料をモナリザ計画の推進母体であるＷＨＯ循環器疾患予防国際共同研究センターに全額寄贈いたします。

私はまた世界各地を旅することになるでしょう。そして、また幾多の冒険に出会うことになるかもしれません。この新しい旅から、また新たな長寿の秘密を発見できることでしょう。

最後になりましたが、一貫して私たちの研究を支持し、しかも本書のために推薦文までも賜《たまわ》りました柳田邦男先生に心から感謝いたします。また、この世界調査を学術的、経済的に支援してくださった多くの方々、とりわけ冒険病理学で苦楽《くらく》をともにした研究チームの仲間、そのため心配をかけた父母や妻子、調査に同行して映像を記録してくださった岩波映画製作所の方々、そして、この本の執筆を強く勧めてくださった法研の加藤哲雄さん、健康春秋社の福田雅人さん、企画・編集に携わった編集者の青野尚子さん、渡辺裕之さんなど出版関係各位に心から感謝の言葉を述べさせていただきます。

一九九五年一〇月

家森　幸男

●著者：家森幸男（やもり　ゆきお）
京都大学大学院教授・医学博士
◎1937年京都府生まれ。1967年京都大学医学部大学院修了。1975年京都大学助教授、1977年島根医科大学教授を経て現在、京都大学大学院人間・環境学研究科教授。WHO循環器疾患予防国際共同研究センター長、上海第二医学院顧問教授などを併任。リヨン大学名誉博士。
◎脳卒中ラットの開発者として国際的にその名を知られ、自ら開発した脳卒中ラットを使った実験で、脳卒中と栄養の関係を次々とつきとめる。現在、人類の21世紀における「食事目標」を求めて、世界をまたにかける学術調査に取り組んでいる。
◎著書に『長命から長寿へ』(ナカニシヤ出版）などがある。

長寿の秘密

平成7年10月1日　第1刷発行
平成8年2月23日　第3刷発行
著　　者　家森幸男
発 行 者　佐藤政男
発 行 所　株式会社 法 研
東京都中央区銀座1-10-1（〒104）
☎03（3562）3611
編集・制作　株式会社健康春秋社
印刷・製本　研友社印刷株式会社

SOCIO HEALTH

小社は㈱法研を核に「SOCIO HEALTH GROUP」を構成し、相互のネットワークにより、“社会保障及び健康に関する情報の社会的価値創造”を事業領域としています。その一環としての小社の出版事業にご注目ください。

ISBN 4-87954-123-0 C0077　定価はカバーに表示してあります。